RAFAEL BRONÍSIO

DESAFIE-SE!

O caminho para o crescimento pessoal e profissional

Coordenação editorial
Diana Szylit

Projeto gráfico, diagramação e capa
Felipe Rosa

Imagens da capa
Pikisuperstar / Freepik

Revisão
Milena Varallo
Daniela Georgeto

Dados Internacionais de Catalogação na Publicação (CIP)
Angelica Ilacqua CRB-8/7057

Bronísio, Rafael
Desafie-se! : o caminho para o crescimento pessoal e profissional / Rafael Bronísio.
-- São Paulo : Labrador, 2018.
144 p.

ISBN 978-85-87740-44-1

1. Autoajuda 2. Autoconhecimento 3. Sucesso 4. Autorrealização (Psicologia) I. Título.

18-1983 CDD 158.1

Índice para catálogo sistemático:
1. Memória autobiográfica

Editora Labrador
Diretor editorial: Daniel Pinsky
Rua Dr. José Elias, 520 – Alto da Lapa
05083-030 – São Paulo – SP
+55 (11) 3641-7446
contato@editoralabrador.com.br
www.editoralabrador.com.br

SUMÁRIO

PREFÁCIO

Eis-me aqui, fazendo o prefácio do livro de Rafael Bronísio: *Desafie-se!* Recebi o convite com alegria e o aceitei até de forma impulsiva. Entretanto, na hora de escrevê-lo, "caí na real", como diriam os mais jovens, pois minha vida de correria teria que separar um bom tempo para que o prefácio fosse à altura do escritor.

Confesso que me sinto lisonjeado, pois Rafael Bronísio é um amigo e profissional por quem tenho profunda admiração, seja pela sua bagagem de conhecimento, seja pelo zelo com que busca constantemente aperfeiçoar esse conhecimento, seja pelo carisma com que o transmite ao público.

Ao longo destas páginas, o leitor percebe que uma das características mais notáveis no trabalho desenvolvido pelo autor é sua fina sensibilidade aos temas abordados e sua aguda percepção dos limites da psicanálise, a qual, no meu entender, norteia todo o conteúdo do livro.

Nos capítulos que se seguem, apreciamos o incessante esforço do autor em superar os habituais livros de autoajuda, por meio de uma linguagem clara, com palavras objetivas e contundentes, abordando uma série de temas relevantes e levando o leitor a entender e superar os seus desafios interiores e, assim, adquirir qualidade de vida.

Acredito que este livro preencherá uma lacuna naquelas bibliotecas de rápida leitura e de profundas reflexões. Com ele, os leitores podem navegar pelos muitos dos ricos temas que fazem a diferença quando se pensa em ter uma saúde emocional equilibrada.

Finalizo com uma frase de Jacques Lacan, que diz: "O desejo é a essência da realidade". Por isso, meu querido Rafael, reinvente-se e nunca perca a sua essência.

Enquanto isso, deleitemo-nos com a leitura deste belo e instigante trabalho, fruto de uma nova e criativa geração de pesquisadores da saúde emocional.

Dr. Zilmar Ferreira Freitas

Psicanalista, diretor executivo do Miesperanza International University, presidente e membro fundador da Sociedade Psicanalítica Miesperanza, diplomata da American Diplomatic Mission of International Relations, embaixador honorário para o Rio de Janeiro, membro honorário e vitalício e primeiro assessor da Association Française de Psychanalyse Évolutive et Humaniste e conselheiro especial para a prática da psicanálise da Assemblée Citoyenne Européenne.

INTRODUÇÃO

Um dia antes de eu começar a escrever esta página, ouvi uma vizinha em desespero na rua porque seu cachorrinho havia sumido. E já era tarde da noite. Ela bateu em todas as portas em prantos perguntando pelo seu animal, mas ninguém havia visto ele. Depois de algumas horas de choro e com a metade da rua apavorada, um rapaz saiu da casa dela gritando: "Achei! Achei! Esse danado estava atrás da sua cama dormindo!".

Assim somos nós. Vivemos em uma busca inveterada da felicidade, da bonança e de respostas para os nossos conflitos. E na maioria das vezes procuramos do lado de fora aquilo que já está dentro de nós. Há um oásis em nosso deserto, há um paraíso em nosso caos. Entretanto, estas camadas mais profundas do nosso interior precisam ser desbravadas com muita prudência devido aos campos minados. O problema é que não temos o mapa do tesouro. Não nascemos com um manual da nossa mente ou das nossas emoções. Isso nos causa um desespero!

Tentamos mostrar uma aparência de harmonia e controle, porém há um turbilhão de sentimentos escondidos prontos para explodir e não sabemos lidar com tudo isso. Quantas vezes preferiríamos nem ter nascido? Quem nunca sentiu vontade de sumir do mapa? E, para intensificar o problema, causa estranheza para a maioria das pessoas falar de suas emoções. Muitos preferem desconversar, tentar esquecer ou fingir que está tudo bem. Outros acreditam que falar das emoções é demonstração de fraqueza e, como o bom brasileiro, acaba empurrando a vida com a barriga, nutrindo um sofrimento que se avoluma a ponto de se converter em doenças físicas ou colocando o indivíduo em emboscadas emocionais.

Daí então surgiu a ideia de escrever este livro. E mesmo se você não procurou ajuda, o analista veio até você para trazer esclarecimentos de assuntos complexos e delicados com uma abordagem leve e de simples compreensão. Enquanto eu escrevia cada página, me imaginei em uma jornada única e exclusiva com cada leitor, portanto ficarei muito feliz se você fizer o mesmo. Quando estiver lendo, imagine que nossa conversa seja frente a frente (óbvio que não há pretensão de substituir uma consulta presencial com o especialista).

O livro foi pensado para ser prático. Está dividido em dezesseis capítulos curtos, que chamamos de "encontros" (como uma sessão de mentoria exclusiva com o leitor), facilitando a vida de quem não tem muito tempo disponível para leitura. Cada encontro é independente para que você tenha a liberdade de ir primeiramente aos pontos de sua necessidade ou dúvida, com exceção de duas situações: crença/autossabotagem e dor da perda de um grande amor/trauma de amar (os casos são sequenciais). O conteúdo é objetivo e consistente.

Ao final de cada encontro, você terá uma missão denominada "Regra dos 3". Essa atividade é padrão para todos os encontros, e ela propõe que você relembre trechos da leitura durante o seu dia. Isso te ajudará a reforçar e interiorizar o aprendizado. Além da missão, em cada capítulo você terá um desafio que te ajudará a se conhecer melhor. Recomendo que você acompanhe a leitura com uma caneta e caderno (pode ser de rascunho ou mesmo no celular) para anotações dos desafios. Particularmente, gosto de sublinhar as partes que julgo mais importantes para futuras consultas. Sugiro que você faça o mesmo porque te ajudará a acessar com mais facilidade seus tópicos relevantes.

Esses desafios poderão transformar radicalmente a sua forma de se ver e lidar com os conflitos. Estou convicto de que será uma leitura de muitos frutos. Então vamos embarcar nesta aventura? Boa viagem para nós.

Boa leitura!

Um abraço fraterno,

Rafael Bronísio

1º
ENCONTRO

PROCRASTINAÇÃO

O adiamento inútil dos afazeres

INÍCIO DO ENCONTRO ___/___/___ TAREFAS CONCLUÍDAS ___/___/___

Procrastinar é uma palavra oriunda do latim *procrastinatus*: *pro*, que significa "a favor ou a frente", e *crastinatus*, que significa "o dia seguinte". Ao pé da letra, significa deixar para o dia seguinte. Ou, simplesmente, deixar para amanhã o que poderia ser feito hoje.

Existem algumas formas de nos enganarmos fazendo com que percamos muito tempo inutilmente. E fazemos isso por meio de agentes paralisadores. Eles se instalam sorrateiramente em nossas vidas e, como consequência, entramos em um estado de passividade. Não conseguimos avançar, cumprir metas, realizar coisas novas. Nada anda! Pois bem, peço que você dedique bastante atenção nas próximas páginas, porque abordarei com clareza os principais causadores da nossa procrastinação.

Um desses agentes é a desorganização. Muitos se enganam com o discurso "na minha bagunça eu me acho!". O cérebro trabalha de forma organizada. Se você não colocar as coisas em ordem, jamais conseguirá cumprir o seu planejamento. Isso provocará confusão das ideias e, consequentemente, você irá procrastinar.

A acomodação, isto é, a preguiça, também paralisa. Nosso cérebro tem a função de evitar esforços e economizar energia para que possamos utilizá-la em uma real necessidade de mantimento da vida. Ele sempre optará pelo que é mais fácil, menos trabalhoso, menos cansativo, menos desgastante. A acomodação deixa pedregoso o caminho da excelência.

O desejo de evitar experiências ruins ou tarefas desagradáveis é mais um fator que produz procrastinação. Inevitavelmente, na vida, passaremos por momentos bons e ruins. Quando evitamos que algo supostamente ruim aconteça, ao mesmo tempo fechamos as portas para que algo surpreendentemente bom possa acontecer. Óbvio que os riscos devem ser calculados.

Outro grande facilitador da procrastinação é o medo de errar, afinal, a falha atrai críticas e, para algumas pessoas, só pensar na possibilidade de sofrerem críticas já é motivo suficiente para que se trancafiem em um casulo.

Muitas pessoas procrastinam devido ao desconforto que o sucesso poderia lhes trazer. Elas não gostam de chamar a atenção, preferem ficar no anonimato. Com isso, se privam de avanços arrebatadores na vida e aceitam com tranquilidade certos dissabores. Apesar de não haver nenhum mal nisso, elas evitam explorar o máximo de seus potenciais. E isso é lamentável.

A dificuldade em dar o primeiro passo também embarreira nossos avanços. O fato de não saber por onde começar faz com que muitos adiem por anos e anos seus projetos ou a realização de sonhos. Talvez, neste exato momento, você, olhando para trás, até se entristeça por ver o tempo que jogou na lata do lixo. Esse tempo não retornará, então, deixe-o quieto e foque no que ainda está intacto: o tempo futuro. Um passo de cada vez. Um degrau por vez. E, após algum tempo, você observará a progressão. O que não devemos é permanecer estagnados.

O perfeccionismo também viabiliza a procrastinação. Particularmente, eu custei a absorver, na prática, este item. Olhando para trás, quantas coisas boas deixei de fazer por causa do senso de perfeição? Queria, primeiro, ver as condições perfeitas para depois dar início ao que deveria ser feito. Como perdi tempo! Vamos dar o exemplo dos *softwares*, das redes sociais, dos aparelhos de TV: tudo se aperfeiçoa. Os consumidores dos produtos lançados apreciam e dão suas sugestões para melhorias. As versões seguintes são lançadas com atualizações e aperfeiçoamento. Nada é plenamente perfeito.

Inclusive, fechamos as portas do nosso aperfeiçoamento pessoal quando deixamos de ouvir as críticas feitas a nosso respeito. A crítica é algo maravilhoso. É a oportunidade que temos de melhorar como pessoa, como profissional, como pais, enfim, é uma pena que não gostamos de ouvi-las. Sempre a interpretamos da pior forma: como ofensa, como tentativa de nos rebaixar... Então ouça este conselho: todas as vezes que você ouvir uma crítica, em vez de buscar argumentos para justificá-la, veja como ela poderá te tornar um ser humano melhor. Afinal, empresas se desenvolvem por meio dos seus programas de melhoria contínua, *softwares* melhoram, os carros melhoram. Por que nós temos que continuar do mesmo jeito?

O diálogo interno depreciativo também contribui com a procrastinação. Isso geralmente ocorre por causa da baixa autoconfiança. Há dois elementos que contribuem para minar a autoconfiança: a autoestima (a maneira como a pessoa se sente) e a autoimagem (a maneira como a pessoa se vê). Se pelo menos um desses elementos estiver em baixa, o indivíduo evitará o avanço porque ficará em estado defensivo. Assim, não conseguirá se envolver profundamente nos projetos grandiosos e se contentará com as águas rasas e superficiais que a vida lhe dispuser. Uma boa coisa a se fazer é mudar suas afirmações por perguntas inteligentes. Por exemplo, em vez de "isto não vai dar certo mesmo!", passe a interrogar "como posso fazer isto dar certo?". É impressionante o resultado! Mesmo que a solução não brote na

> "INICIATIVA É A ARTE DE TOMAR A FRENTE EM DETERMINADA SITUAÇÃO."

hora, repentinamente, ela surgirá na sua mente da forma mais inesperada, como em sonhos, navegando na internet... Mude suas afirmações para interrogações e se prepare para uma enxurrada de ideias.

Medo de mudança é outro agente que produz procrastinação. As incertezas ao desbravar terras novas e inexploradas simplesmente apavoram a maioria das pessoas. O novo assusta! É preciso demandar uma quantidade grandiosa de esforço e estratégias para implementação das mudanças e, sinceramente, não queremos esquentar a cabeça. Infelizmente, o desinteresse em acessar o novo tem feito muita gente deixar de conhecer grandiosos paraísos que existem dentro do seu próprio caos.

A dificuldade em lidar com rejeições também ajuda a empurrarmos as atividades com a barriga; afinal, e se eu não conseguir, o que vão dizer de mim? E se der errado? E se ninguém gostar? E se eu for ridicularizado? Desejamos alcançar a aprovação das pessoas. Ansiamos ser aceitos. Qualquer atividade que possa gerar sentimento contrário a esses será facilmente rejeitada por nós e, consequentemente, procrastinada.

Um dos tipos de procrastinação mais comum de vermos é aquele ligado diretamente ao desenrolar das tarefas. Por exemplo, tarefas muito difíceis podem demandar um tempo prolongado e, como já vimos, queremos evitar essa fadiga. Por outro lado, as tarefas demasiadamente fáceis nos deixam em uma falsa tranquilidade, afinal, como são fáceis, podem ser executadas com rapidez depois. A falta de recursos específicos para a execução da tarefa também serve como bom pretexto para procrastinação. Cabe aqui uma frase que li certa vez do filósofo contemporâneo Mario Sergio Cortella que me marcou muito: "Faça o teu melhor, na condição que você tem, enquanto não tem condições melhores para fazer melhor ainda". Isso é genial!

A procrastinação paralisa acontecimentos e isso pode desenvolver uma angústia enorme na vida das pessoas. Essa ansiedade que surge se deve à dificuldade em lidar com as demandas que vão se avolumando. Procrastinar gera afobação. Deixar para fazer outro dia o que poderia ser feito agora produz trabalhos malfeitos, prejudica o atendimento dos prazos e gera retrabalho. Muitas pessoas são vistas como atrapalhadas somente por não conseguirem atender adequadamente o que se espera delas. Isso mancha a imagem pessoal e profissional. Se esse for o seu caso, que tal iniciar um processo de mudança no rumo da vida agora mesmo? Na época do meu serviço militar, ouvi uma frase de um cabo em sua instrução que trago para minha vida: "Iniciativa é a arte de tomar a frente em determinada situação". A iniciativa desarticula a procrastinação, portanto, simplesmente, levante e aja. Faça o que precisa ser feito. Independentemente de haver ou não vontade. Tão somente foque no resultado.

Para sair dessa lama de procrastinação, vou te ensinar uma técnica que você poderá fazer agora mesmo (cabe ressaltar que há várias técnicas com a mesma finalidade). Este será o seu desafio.

BO – DA – CO – RE

BO = botar no papel

Liste em um papel as coisas que você fica adiando. Nosso cérebro organiza melhor as ideias quando estão claras em nossa frente. Isso torna as tarefas mais exequíveis. Participei de um treinamento no Serviço Brasileiro de Apoio às Micro e Pequenas Empresas (Sebrae) onde o instrutor dizia que, quando colocamos as informações no papel, temos em torno de 60% a mais de êxito na execução dessa tarefa. Apesar de eu não conhecer a fonte, a afirmação faz todo sentido. As possibilidades de sucesso se elevam. Outra importância que você deve dar é para a objetividade da informação. Por exemplo, "eu quero ficar mais magro!". Essa informação é imprecisa. Quer emagrecer quantos quilos? Então deveria colocar no papel "Eu quero emagrecer quinze quilos". Foque no que você quer e não no que você não quer: "Eu não quero ser pobre". Errado! "Eu quero ter sucesso financeiro de 'x' reais por mês (ou ano)". Certo!

DA = datar
Você precisa dar uma data para o início e o fim das tarefas. Você quer perder os quinze quilos, mas até quando? Em qual data iniciará as atividades? O doutor Lair Ribeiro disse algo interessante em uma palestra: "A distância entre o sonho e a realidade está na data". Realmente, para quem não estabelece uma possível data para a concretização dos seus sonhos, qualquer tempo é tempo. Inclusive o nunca.

CO = comprometer-se
Quando você se submete àquilo que se propôs, isso certamente exige muita autodisciplina. Ou seja, você deverá seguir o que se propôs na lista mesmo que esteja sem vontade. Ninguém emagrece quinze quilos se empanturrando de doce, lasanha e outras guloseimas. A vontade de jogar a lista para o alto e devorar o banquete será enorme, mas, pelo senso de autodisciplina, você deve se privar do prazer momentâneo, porque o grande objetivo está em curso e você não vai desistir!

RE = recompensar
Cada vez que conseguir evoluir nos objetivos, você deve comemorar e se dar uma recompensa (a lasanha não está inclusa na comemoração se seu alvo for a perda de peso).

Não se deve festejar o objetivo apenas quando estiver concluído. Se você quer perder quinze quilos e já perdeu um, isso é um significativo avanço. O cérebro terá clareza de que as coisas estão acontecendo e você ficará mais empolgado para conseguir novos avanços, portanto, comemore!

Agora é com você. Mãos à obra! E se não souber por onde começar, te darei mais um conselho. Pegue alguns exemplos deste encontro com que você tenha se identificado e use como seu pontapé inicial. Com isso, você já terá um caminho para o seu BODACORE. Desejo sucesso na sua tarefa!

REGRA DOS 3

Pense nos dois momentos deste tema que mais te marcaram. Relembre esses momentos três vezes no decorrer do dia.

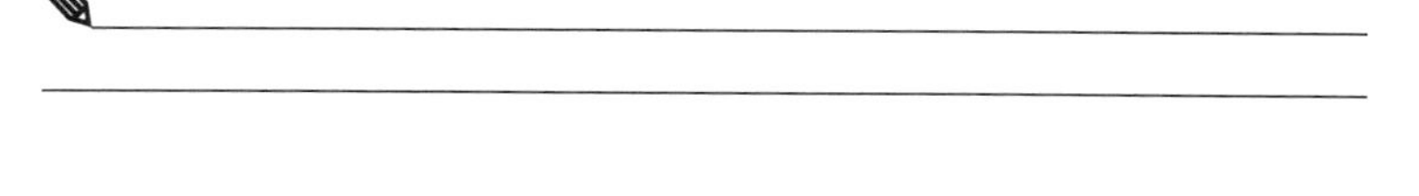

DESAFIO

1. Executar o projeto BODACORE.

DICA

Esta lista deve ficar exposta em um local que você possa ver diversas vezes ao dia. Isso ajudará na lembrança do comprometimento.

2º ENCONTRO

MOTIVAÇÃO

O combustível que nos conduz à ação

INÍCIO DO ENCONTRO ____/____/____ TAREFAS CONCLUÍDAS ____/____/____

Você se considera uma pessoa interesseira? Acho que adivinhei o seu pensamento: que sua resposta foi não! Se, porventura, alguém tenha te chamado de interesseiro e você tenha se sentido ofendido, não deveria, porque você de fato é uma pessoa interesseira! Da mesma forma que eu também sou. Nós somos interesseiros por natureza e somos movidos por isso. Apesar de ter uma carga semântica negativa, o termo interesse é simples, significa qualquer coisa que nos traga vantagens. Obviamente, isso fica mais evidente para algumas pessoas por gostarem de levar vantagem em tudo e muitas vezes em detrimento do que os outros possam sofrer. Isso eu abordarei mais adiante.

Para amenizar o peso dessa palavra, usarei o termo "troca" em vez de "interesse". Todos nós vivemos por troca. Pense em alguma coisa que você almeja muito. Para isso entrar em sua vida, algo terá que ser dado em troca. Inclusive presentes. Por exemplo, você não dará um colar de brilhantes para uma amiga que você não julgue que mereça. O mérito é um valor de juízo atribuído. Vamos exemplificar um relacionamento em que você se dedica, faz de tudo pela pessoa, mas tem a impressão de que ela não corresponde, aliás, correspondência, incentivo e retribuição também são palavras dentro do mesmo conceito das nossas reivindicações de troca. De forma nenhuma quero que você pense que isso seja errado! Apenas estou mostrando que a vida é pautada em troca. O mesmo acontece no ambiente de trabalho. Se você viver com a sensação de que está trabalhando muito ou entregando resultado lucrativo e não consegue enxergar o retorno, em pouco tempo você se desanimará daquele emprego e procurará outro. Sua percepção te dirá que essa troca não está sendo justa. Até o comércio é uma troca. Você entrega o dinheiro e pega seu produto. O dinheiro, cartão, cheque, enfim, é um símbolo de troca. Nos primórdios da humanidade, não existia dinheiro. Eu te dava, por exemplo, uma cabra e recebia de você um coelho, três galinhas e mais algumas frutas frescas.

A vida é pautada em troca e, como eu disse, tem aqueles que querem receber demais e não gostam de doar. Isso cria uma pendência social. Outro grupo é o dos que julgam doar demais e não receber. As redes sociais viraram palco de tantos lamentos. Muitos dizendo coisas do tipo "cansei de ser bobo! Só me ferro! Quem muito se abaixa os fundilhos aparecem!". Precisamos refletir sobre o porquê de nos acharmos tão bons. Lembro-me de uma entrevista na televisão na qual um psicopata assassino em série se intitulava como bom homem porque acabava com o sofrimento de muitas pessoas. Tudo bem, usei um exemplo muito extremo, mas você perceberá que até as pessoas boas demais têm seus motivos para agirem assim.

A propósito, qual o motivo para uma pessoa procurar a religião? Será por amor incondicional à divindade ou pelo benefício que almeja receber? Ou será o medo do que acontecerá com a sua vida pós-morte? Precisamos ser sinceros conosco em buscarmos no nosso íntimo as reais intenções. Assim, teremos base para decidirmos as atitudes mais acertadas a serem tomadas.

E aquelas pessoas que nos procuram somente quando precisam? Eu poderia dar diversos exemplos de interesse. Na verdade, isso nem deveria te chatear porque todos são assim. Inclusive você e eu! Tenho certeza de que você consegue se lembrar agora mesmo de pelo menos três pessoas com quem você entraria em contato caso precisasse, apesar de não se comunicar com elas há um tempo. O egoísmo está arraigado na essência humana e o entendimento disso nos privará de muito sofrimento desnecessário.

Então vamos entender um pouco sobre os motivos. Para tomarmos alguma atitude, precisamos de um interesse e a motivação é combustível que nos impulsiona a agirmos em prol desse interesse. Didaticamente, dizemos que motivação é motivo + ação ou motivo para a ação. Ficamos impressionados com os shows de lindos cachorrinhos no palco comandados por seus domadores. Eles nos divertem ao fazerem coisas engraçadas e diferentes e, na sequência, sempre ganham um petisco como retribuição. Essa é a recompensa que o incentivou a executar os comandos. Nós também somos assim por natureza.

Muitas vezes, as coisas não andam na vida porque a pessoa se julga desmotivada devido as suas desfavoráveis circunstâncias. No entanto, ela pode estar carregada de motivação, porém de motivação errada. A certeza de que algo não dará certo acaba sendo uma forte motivação para não se tentar. Esse é um exemplo de motivação negativa.

Uma amiga conversando comigo disse: "Bronísio, desisti de relacionamentos. Só me envolvo com homens que me fazem sofrer. Não quero mais saber de homem!", e acrescentou com um gracejo: "Acho que vou virar lésbica!". Repare que os relacionamentos anteriores da jovem se assemelharam a petiscos amargos. Um cãozinho não iria se interessar em fazer tantas piruetas para depois ganhar umas nozes com cascas. Com isso, te pergunto: quais petiscos você tem experimentado?

O trabalho que temos para pensar na motivação errada é o mesmo que temos para pensar na motivação certa. Tudo depende do ponto de vista. Diferentemente dos cães, nós podemos escolher os nossos petiscos. Se você já fracassou dez vezes, poderá pegar o petisco amargo e pensar: "Desisto. Não vou conseguir. Sou um fracassado!". Essa é a motivação errada. A motivação correta seria: "Já errei dez vezes. Uau! Estou cada vez mais próximo da minha grande conquista!". Palavras equivocadas podem ser como petiscos sem gosto ou amargos.

Tempos atrás, fiz um vídeo de trinta segundos mostrando a diferença entre fracasso e derrota. A derrota faz parte da vida porque é o resultado de uma competição perdida. Seja na guerra, no esporte ou na vida, iremos ganhar e ganhar, mas também iremos perder e perder. Quando ganhamos, somos vitoriosos, e, quando perdemos, somos derrotados, não fracassados. A derrota nos traz aprendizados e oportunidades de aperfeiçoamento e melhorias. O grande problema é que, na nossa concepção, não podemos perder. Perdas fazem parte da vida, mas existem pessoas que não aceitam perder e, com isso, são surradas no jogo da vida.

O que devemos eliminar das nossas experiências de vida são os fracassos. Fracassado é aquele que covardemente foge, ou seja, não tenta. Não ousa porque não quer correr o risco de perder, então nem se atreve a tentar. Outra realidade do fracassado: ele para no meio do caminho. Quando vê as dificuldades se avolumando, simplesmente pula do barco. Vimos que a derrota é um bom indício. É sinal de que estamos na batalha procurando agir estrategicamente para tão logo experimentarmos a vitória. E o fracassado? O fracasso é ótimo mantenedor de gente na zona de conforto e minador de criatividade porque deixa as desculpas com discursos fabulosos e muitas vezes repletos de toques cinematográficos. Você pode até se encontrar derrotado, porém jamais seja um fracassado!

Lembro-me de um curso que apliquei em Minas Gerais onde comentei sobre as tentativas malsucedidas de um bebê em dar seus primeiros passos. Você arriscaria uma opinião? Dez tentativas? Cinquenta? São centenas de tentativas! Só que nós não percebemos porque prestamos atenção no resultado dos outros e não nos percalços que tiveram até chegar aonde chegaram. Infelizmente, as crenças que adquirimos no decorrer da vida minaram o nosso senso de persistência. Repare que, ao nos depararmos com uma dificuldade, na terceira ou quarta tentativa frustrada talvez já seja o suficiente para desistirmos. Thomas Edson, celebrado por suas diversas invenções, dentre as quais, a lâmpada elétrica, nos brindou com a seguinte frase: "Eu não falhei, encontrei dez mil soluções que não deram certo".

Somos vencedores por natureza. Nosso primeiro concurso público na vida foi uma disputa acirrada, e fomos vitoriosos. Segundo a Organização Mundial da Saúde (OMS), concorremos com trezentos milhões de candidatos. E vencemos! Estou me referindo à nossa fecundação. Dentre todos os espermatozoides concorrentes, nós conseguimos ganhar a vaga para o mundo!

Se nos cortamos em algum lugar, o nosso organismo se prepara para vencer aquela anomalia. Se um agente microscópico estranho tenta invadir nosso corpo, nosso sistema imunológico combate para eliminá-lo e vencer a luta. Se, porventura, o organismo não estiver conseguindo vencer, ele pede reforço. Nos avisa por meio de alarmes. As dores e os demais sintomas são mecanismos para nos informar que algo está errado com o nosso corpo. Com isso, podemos mobilizar esforços para ajudar no combate, por exemplo, procurando um especialista e ingerindo medicamentos. Mesmo nos casos em que a doença vença, o organismo lutou incansavelmente. A natureza conspira para a vitória e a nossa motivação errada faz com que joguemos contra.

Não podemos perder as esperanças. E, como disse o

grande educador Paulo Freire, "não podemos confundir esperança do verbo esperançar com espera do verbo esperar". E é uma grande verdade, porque esperar é algo passivo e subjetivo, não tem força de ação. Em contrapartida, o verbo esperançar está ligado à ação, à objetividade e à busca dos objetivos. Pratique a motivação positiva. A que te projeta para frente.

O sonho é um poderoso combustível. É um motivador por excelência, porque faz com que vejamos lá na frente as recompensas que iremos conquistar. O foco na recompensa anima, assim, você terá força e disposição para trabalhar seus propósitos de vida. Até o cachorro sabe disso. Ele primeiro trabalha porque sabe que depois receberá o seu petisco. Tem muita gente querendo receber o petisco antes de trabalhar (receber prêmios antes de correr atrás, obter sucesso antes de se esforçar...). Essas pessoas precisam urgentemente aprender a boa lição do cachorro.

Trabalho, dedicação, sacrifícios, treinos, derrotas, noites em claro, desgastes e planejamentos são alguns dos elementos que compõem a galeria de eventos de todas as pessoas de sucesso. Desistir dos obstáculos não faz parte dessa lista. Infelizmente, a forma que vemos as pessoas de sucesso é equivocada, porque nós, como público, só temos acesso às imagens das vitórias conquistadas, como as aparições pomposas de grandes empresários, o glamour da moça de corpo escultural, os movimentos geniais dos atletas... É só sucesso!

> **"VOCÊ NASCEU PARA DAR CERTO, ENTÃO NÃO ATRAPALHE O UNIVERSO DE FAZER VALER ESSE PRINCÍPIO."**

Mas as dezesseis horas diárias de dedicação do empresário não aparecem nos holofotes, as coisas gostosas que a bela moça deixa de comer e a sua disciplina diária de treino não aparecem na mídia, nem as horas dedicadas ao treino intenso dos atletas aparecem na TV. Oscar Smith ficou conhecido como o "mão santa" do basquete brasileiro por sua exímia habilidade, mas ele retruca afirmando que não é mão santa, e, sim, mão treinada.

E, para concluir, precisamos ter sempre em mente que, a qualquer momento, algo de extraordinário irá acontecer. O nome disto é expectativa. Não podemos abandonar a esperança. Vou te contar um segredo: as mentes mais geniais e criativas do mundo também já pensaram em desistir um dia. A diferença é que só pensaram por um breve momento e, em seguida, retornaram em seus afazeres. A vontade de jogar tudo para o alto certamente surgirá, mas cabe a nós superarmos tal equívoco. Esteja certo de uma coisa: quando conseguimos conquistar a vitória plena, todo o tempo de dor e sofrimento fica irrelevante, porque o prazer da conquista é algo maravilhoso, energizante e, sobretudo, confirma aquilo que nós já nascemos para ser: vitoriosos. Você nasceu para dar certo, então não atrapalhe o universo de fazer valer esse princípio!

REGRA DOS 3

Pense nos dois momentos deste tema que mais te marcaram. Relembre esses momentos três vezes no decorrer do dia.

DESAFIO

1. Em um pedaço de papel, faça uma coluna e escreva nela o máximo de erros que você se lembra de ter cometido na vida que até hoje te incomodam ou fazem você desanimar.
2. Na coluna ao lado, você vai pensar e escrever diversas lições aprendidas em cada erro que você anotou.

DICA

Você se impressionará ao perceber que o mesmo erro que te desmotivava tem muito mais a te ensinar do que prejudicar. Agora, basta focar com bastante energia nas lições aprendidas que você descobriu porque será como um combustível motivacional para fazer você alavancar seus resultados. Seu foco será no aprendizado e não mais na tristeza de ter cometido erros.

3º ENCONTRO

TRAUMA E RESILIÊNCIA

A arte de dar a volta por cima

INÍCIO DO ENCONTRO ____/____/____ TAREFAS CONCLUÍDAS ____/____/____

O termo "trauma" é oriundo da medicina e significa "ferida", apesar de geralmente ser associado a algum impacto. Se trauma é ferida, podemos dizer que uma pessoa com cicatrizes experimentou a superação dos ferimentos. Cicatriz é marca de superação. Cada cicatriz no seu corpo é um evento carregado de lembranças, muito embora tenham sido superadas. Psicologicamente falando, também temos cicatrizes. Algumas podem ser reabertas e outras talvez nunca tenham cicatrizado.

Sigmund Freud, o pai da psicanálise, foi quem promoveu a terminologia de trauma no contexto psicológico enfatizando principalmente as experiências infantis do sujeito. Em um dos seus estudos com mulheres histéricas, percebeu que havia um padrão comum entre todas elas: afirmavam ter sofrido abuso sexual na infância. Esses abusos eram reprimidos, ou seja, guardados nos bastidores da mente. Ele observou que essa repressão de sentimentos produz uma briga interna na qual uma parte da pessoa anseia por fazer algo e a outra parte abomina tal ação. Isso se chama conflito. Como exemplo, podemos citar um homem casado atraído por uma colega de trabalho solteira que demonstrou corresponder aos seus desejos libidinosos. Repare que ele se vê em forte conflito. Uma parte dele apela aos bons costumes sociais de se manter fiel ao matrimônio. A outra parte pulsa violentamente desejando se deleitar no romance extraconjugal. Como será o desfecho dessa história? Dependerá da forma como ele apaziguará os dois lados. Em outras palavras, isso será elaborado pelo seu mecanismo de defesa como forma de compensação. E, conforme disse Alfred Adler, discípulo de Freud, toda compensação gera uma deformação. Assim, vivemos em uma sociedade "deformada" em alguma instância de suas mentes e emoções. Se você não compreendeu muito bem esse conceito teórico, eu irei esclarecer.

O trauma é um choque emocional avassalador e geralmente está associado a uma forte repercussão emocional. Vale ressaltar que as repercussões poderão ser assimiladas de formas diferentes por cada indivíduo. Por exemplo, nós dois fomos alvo de assalto seguido de violência. Eu fico traumatizado e você não, ou vice-versa, ou os dois ficam. O evento foi o mesmo, porém a fixação emocional se desencadeou de maneira distinta.

Os traumas são causadores de dor intensa, sofrimento e vergonha. Talvez você tenha vivenciado algo no passado em que te fizeram experimentar grande vergonha, humilhação ou fracasso. Se isso não for ressignificado adequadamente, poderá perturbar e atrapalhar a sua vida inteira ou boa parte dela. Isso é um trauma instalado. É uma ferida aberta que não cicatrizou.

> **"CICATRIZ É MARCA DE SUPERAÇÃO."**

Além da dor emocional, o trauma também pode trazer dor física em longo prazo, principalmente por razões psicossomáticas, ou seja, doenças que podem ser de natureza física ou não originada na estrutura da mente. Talvez você conheça alguém que tenha ido ao médico se queixando de alguma dor e, após a bateria de exames, ficou evidenciado o desconhecimento de sua origem. Geralmente, os médicos dizem que é emocional e indicam psicoterapia. Como pode isso? Há uma dor, porém não há uma causa física? Isso é doença psicossomática. O pensamento da pessoa afetado e distorcido também pode fazer com que ela experimente muitas obsessões e chegue ao ponto de acreditar que está ficando maluca. E, obviamente, ela não comenta isso com ninguém por sentir vergonha.

Para outros, isso pode resultar em comportamentos atípicos e, certamente, farão de tudo para se manter distante do objeto de sua dor traumática. Usando o exemplo do trauma de assalto, o simples fato de ir à esquina de casa poderá trazer grande tormento, porque, para a pessoa, o assalto se repetirá. Ouvi em um congresso o caso clínico de uma menina que perdeu a voz ao lidar com o trauma de ver sua mãe tendo relação sexual extraconjugal. Após um determinado período a sua voz voltou, porém os problemas neurológicos perduraram.

O trauma também tem o potencial de aprisionar pessoas e algumas se encontram nesse estado há anos. Aprisionadas na forma de agir, na dificuldade de se relacionar com as pessoas, em evitar determinados ambientes... Casos de transtorno obsessivo compulsivo (TOC), compulsões e outros desajustes de ansiedade também podem ter seu estopim em eventos traumáticos.

O trauma também pode trazer muita amargura para a vida das pessoas. Algumas são rotuladas de mal-amadas, grosseiras, birrentas e chatas. Tudo isso pode ser proveniente de traumas acumulados e não tratados, o que não é bom nas relações interpessoais e muito menos para aqueles que inevitavelmente convivem com os sintomas.

O trauma pode fazer com que a pessoa viva de forma autodestrutiva, se entregando a desejos secretos e comportamentos que trarão prejuízos à saúde e à vida.

Não é nada bom viver assim. Se você se encontra dessa forma, precisa sair disso imediatamente. E como sair? Tem uma palavra que está em evidência nos dias de hoje: resiliência. Essa é uma palavra cunhada da física e significa que alguns corpos, após serem submetidos a uma deformação elástica, retornam a sua forma original. Como exemplo, posso citar uma esponja. Por mais que você a aperte, ela retornará ao formato original. De igual modo, o elástico retornará a sua característica original após ter sido esticado. A minha definição filosófica seria a capacidade de conseguirmos retornar à realidade de antes após termos passado por quaisquer situações traumáticas ou desagradáveis. A resiliência é a aptidão que temos de superar os traumas.

Já ouviu falar na modalidade esportiva salto com vara? Se você tivesse ao seu dispor três varas para saltar no campo das emoções, qual destas você escolheria? A primeira vara é de madeira no formato de um cabo de vassoura, a segunda, de alumínio e a terceira é de fibra de carbono, material usado pelos atletas dessa modalidade. Seria óbvio escolhermos a vara de fibra de carbono, que é a resiliente. Essa te dará as condições adequadas para que você dispute o jogo. Entretanto, muitos têm escolhido a vara de madeira e têm quebrado a cara. Outros têm escolhido a vara de alumínio e estão se amassando cada vez mais. No campo das emoções, a sua escolha determinará o seu resultado. Acalme os ânimos primeiro e aja depois. Porque atitude emocional gera consequências que poderão te trazer arrependimento. Os que frequentemente tomam decisões baseadas nas emoções são chamados de inconsequentes.

Para que você consiga encontrar um caminho de saída, comece praticando as orientações a seguir.

Aceite os fatos que você vivenciou ou vem vivenciando. Reconheça-os! Não tente fingir que nada está acontecendo. Pare de dar desculpas ou se esconder! A vergonha faz com que a pessoa sempre fuja do assunto como se ele não existisse. Mesmo que você tenha a sensação de que fugindo do assunto ele desaparecerá, você está apenas se enganando! Ele sempre te atormentará de diversas formas enquanto você não o resolver.

Aprenda a expressar a sua dor. Não se faça de inabalável ou invencível. Se abra com um amigo de confiança. Isso vale principalmente para os homens, que não gostam de mostrar fragilidade emocional porque têm receio de que sejam taxados de fracos. Esse é outro engano. Desde criança somos ensinados que homem não chora. Por esse motivo, existem muitos homens com deformações comportamentais sérias. Fale com alguém sem capas, sem reservas e sem justificativas. Fale!

Pare de se vitimizar. Chame para si a responsabilidade que te couber. Muitos encontram na vitimização uma ótima oportunidade de envolver os outros na sua dor exclusivamente com a intenção de não sofrerem sozinhos por algo. Principalmente se os causadores do trauma viverem próximos. O famoso "jogar na cara", as ironias e outras atitudes que frequentemente deixam claro que as feridas ainda estão abertas. O vitimismo e o ressentimento são provas cabais de que as feridas, além de abertas, estão com um dedo cutucando. Não vale a pena nutrir tanto sofrimento. Abra mão do orgulho ou do senso de punição. Você precisa voltar a ser uma pessoa feliz, completa e realizada. Só depende de você. Abandone o vitimismo e chame a responsabilidade para si.

Resgate o controle das suas emoções. Você consegue isso evitando ações previsíveis. Tem pessoas que são tão previsíveis e manipuláveis que fica até fácil determinar suas ações. Se a pessoa tem o pavio curto, eu sei que uma palavra de afronta é o suficiente para que ela reaja como eu desejar. Se eu a presentear com algo que ela goste, poderei mudar instantaneamente o seu humor. A partir disso, identifique o que faz disparar em você as reações automáticas que te levam a responder negativamente por causa do trauma e evite essas reações.

Procure uma orientação mais personalizada com algum profissional da família psi – psiquiatra, psicólogo, psicanalista (falaremos algumas vezes dessa família multidisciplinar de profissionais). Isso poderá ser inevitável, porque certos traumas mantêm a pessoa em um labirinto do qual, provavelmente, ela terá muita dificuldade de sair sozinha. Exercite a força do querer! Você pode vencer e certamente irá!

REGRA DOS 3

Pense nos dois momentos deste tema que mais te marcaram. Relembre esses momentos três vezes no decorrer do dia.

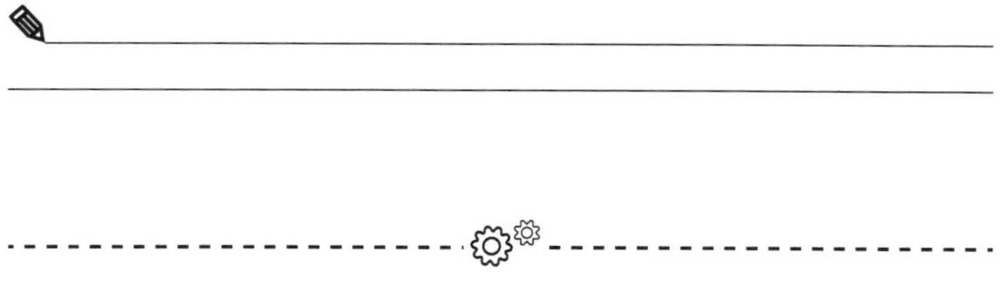

DESAFIO

Faça uma boa ação. Independente se será para uma pessoa ou um grupo, tem que ser um ato de caridade com significado financeiro ou com dedicação do seu tempo. Não pode ser algo com qualquer perspectiva de retribuição e ninguém precisa ficar sabendo. Ajude pessoas de alguma forma.

DICA

Perceba que você experimentará uma surpreendente sensação de bem-estar. Essas atividades produzem certos hormônios que ajudam a aliviar a dor da alma.

4º ENCONTRO

CRENÇAS DESTRUTIVAS

As fortalezas imaginárias que nos limitam

INÍCIO DO ENCONTRO ____/____/____ TAREFAS CONCLUÍDAS ____/____/____

Acabo de me recordar da imagem de um cavalo amarrado por uma corda em uma cadeira de plástico. O cavalo se comporta como se estivesse preso a uma árvore. Obviamente, se ele simplesmente saísse do lugar, arrastaria a cadeira pelo caminho.

Apesar de muitas vezes não termos a mínima ideia sobre crenças, a grande verdade é que, se elas forem destrutivas, podem atrapalhar o nosso futuro e criar uma prisão imaginária ao nosso redor, nos impedindo de dar um simples passo além de uma marcação que nem existe. As crenças fazem isso conosco, nos limitam. Por isso, alguns teóricos classificam como "crenças limitantes", pois elas têm o potencial de nos deixar amarrados no nada.

Nesse exato momento, você pode estar cercado de paredes psicológicas. Já pensou nessa possibilidade? Essas paredes começam a ser edificadas a partir das nossas vivências da mais tenra infância. Foram registradas por nós, a partir de todas as milhares de informações que vimos, que ouvimos e que experimentamos com o passar dos anos. Essas informações são registradas e sistematizadas no nosso eu. Todas as nossas experiências permanecem vivas em nós, sejam boas ou ruins.

Trazendo para a neurociência, no nosso tronco cerebral há uma estrutura denominada formação reticular, ou Sistema Ativador Reticular (SAR), o qual tem funções importantíssimas, como regulação dos ciclos do sono, respiração, batimento cardíaco etc. A função que nos importará aqui é a de filtrar as informações enviadas à nossa consciência por intermédio do que nossos sentidos captam. Somos rodeados por milhões e milhões de informações e apenas poucas mil podem ser processadas conscientemente (estudos recentes revelam que a nossa mente tem mais de 90% de informações inacessíveis,[1] como já previa a psicanálise há mais de um século). E é o SAR que selecionará as informações que nos interessam e descartará as que não combinam com nossos interesses. Nossas crenças moldarão os tipos de informações que o SAR jogará para a nossa consciência, e essas informações, que se consolidam com o passar do tempo, poderão agir a nosso favor ou contra nós. É o efeito da lei da atração. Atraio o que penso porque, literalmente, o cérebro rastreará nas milhares de informações do ambiente aquelas que combinam ou que estejam atreladas ao que é importante para mim. É o mesmo princípio das redes sociais: os algoritmos das redes selecionam as propagandas que serão exibidas a você com base nos posts que você curte, por exemplo. Podem existir centenas de propagandas, mas você só verá aquelas que estão relacionadas com os seus interesses, e verá com mais frequência as postagens de pessoas com as quais você interage mais. Você pode ter 5 mil amigos, mas não verá as postagens de todos eles.

Nossa forma de ver o mundo cria uma série de modelos comportamentais padronizados. Esses padrões serão reproduzidos sempre que eventos semelhantes acontecerem conosco. A esses modelos, damos o nome de paradigmas.

---

1. Fonte: revistaepoca.globo.com/ideias/noticia/2013/03/voce-nao-comanda-sua-vida.html.

Os paradigmas podem criar regras comportamentais de uma pessoa, de uma família e de uma sociedade. Inclusive, podem se transformar em leis e isso é importante para a regulação da vida social. Entretanto, há diversos paradigmas que são crenças inúteis ou autodestrutivas para os indivíduos. Foram criados por nós de forma distorcida no período em que todas as nossas crenças estavam se formando. Imagine suas crenças como se fossem um pacote de laranjas fechado que esteja com algumas unidades estragadas. Assim são nossas crenças. Sempre há aquelas que já não servem e têm o potencial de estragar as outras. Quanto mais tempo estiverem ali, mais chance têm de contaminar as laranjas saudáveis.

O choque de paradigmas pode ser destrutivo se eu entender que a minha forma de ver é a certa e a sua, a errada. Certamente, isso me fará trazer muitos sofrimentos para minha vida. É como o homem branco impor ao índio que ponha roupas e o índio impor ao homem branco que ande pelado.

> **"HÁ MUITAS PARAFERNÁLIAS MINHAS NAQUILO QUE CRITICO NO OUTRO."**

Nossas reivindicações de mudança alheia e as críticas que fazemos aos outros têm muito a ver com o reflexo das nossas crenças. Há pessoas que te amam enquanto outras te odeiam porque você é o espelho a refletir o que elas são ou o que escolheram ver de si mesmas em você. Se eu não gosto de você, pode ser que, inconscientemente, você me traz referências de algo que eu não gosto em mim. Se eu gosto de você, pode ser que meu eu preferiu focar em suas virtudes em vez dos defeitos. Há muitas parafernálias minhas naquilo que critico no outro. Há muito do meu interior e das minhas crenças naquilo que vejo estampado no comportamento e jeito de ser do outro.

A Programação Neurolinguística (PNL) chama isso de "modelo de mundo": o mundo que vemos e experimentamos não é igual para todas as pessoas, porque temos filtros diferentes. Cada um de nós experimentou e experimenta os eventos da vida de forma diferente. Consolidamos crenças diferentes! Se não aprendermos a nos colocar no lugar do outro (nas crenças do outro), jamais compreenderemos por que as pessoas agem de forma tão diversa da nossa. Uma pessoa que sempre foi rica pode não conseguir compreender por que alguém fica na miséria, assim como um miserável pode não conseguir entender por que sujeitos tão ricos não doam seu dinheiro para pessoas como ele.

Veremos diversos exemplos de crenças destrutivas que, por um princípio de defesa, são criados em nossas vidas.

A crença de nossas aptidões é um exemplo de parede imaginária que embarreira a pessoa, fazendo com que ela se julgue incapaz. É como se ela não fosse apta a evoluir. Se ela não se achar apta ao sucesso, sempre boicotará as oportunidades grandiosas que possam surgir. Sem contar que a oportunidade surge disfarçada de embaraço ou problema. A parede imaginária da inaptidão não permitirá que essa pessoa cresça. Ela poderá, por exemplo, se julgar incapaz de conquistar um relacionamento amoroso com alguém com mais atributos. Se verá incapaz de conseguir uma casa maior e de ter uma vida melhor ou mais abastada. Muitas pessoas querem reforçar seus fracassos dando exemplos de outras que venceram dizendo "só eu que não consigo!", mas esquecem que, ao mesmo tempo que muitos estão bem melhores do que elas, outros tantos estão bem piores. Olhe ao seu redor e confirme com seus próprios olhos o que estou afirmando. Muitas pessoas estão no desespero do desemprego e não sabem de onde tirar dinheiro do leite das crianças. Outros estão em um leito de enfermidade, outros estão entre a vida e a morte, outros estão mortos. Sempre tem um que estará pior do que o outro. Eu preciso refletir se realmente nada acontece de bom comigo ou se estou apenas parado diante de uma parede imaginária. A gordinha que queira perder peso, mas tenha indisposição de se exercitar, pode insultar a fitness como fruto inconsciente da sua ira projetada nela por não se sentir apta a emagrecer. O limite que você está pondo em sua capacidade não existe. É meramente imaginário.

Conflitos entre ideias também podem fazer a pessoa parar. Tem aqueles que não vencem na vida para não se sentirem culpados pelos que são fracassados ou para não serem julgados pelos outros. Exemplo: "Se eu demonstrar os meus talentos, vão dizer que quero me aparecer. Deixe-me ficar quieto aqui no meu canto!".

Se você acha que as coisas só vêm com muita dificuldade e sofrimento, você não conseguirá dar valor e poderá perder qualquer coisa que não vier dessa forma. Isso porque lá no passado te disseram: "meu filho, as coisas não vêm fácil. E o que vem fácil, vai fácil!". Isso eu explicarei com mais detalhes adiante.

Mais um exemplo, "alegria de pobre dura pouco". Parece brincadeira, mas muitas pessoas não se permitem experimentar alegria por causa de crenças feito estas. Elas associam qualquer acontecimento ruim a um momento de alegria que ela tenha sentido anteriormente. Eu sei que a mãe não morre por causa do chinelo virado ao contrário, porém, mesmo sabendo disso, não nos sentimos confortáveis em vê-lo assim. Isso é resquício de crença. Tomar banho ou cortar o cabelo após o almoço faz mal. E saborear manga com leite, pode?

As crenças religiosas também erguem paredes imaginárias por serem um assunto pertencente ao meio social em que vivemos desde muito cedo. Se a pessoa cresceu com a crença de que "pouco com Deus é muito", ela poderá usar tal frase como analgésico para a sua dor da escassez, pois, na época, esqueceram de dizer que o "muito com Deus também é muito". Esqueceram também que o resultado de prosperidade é uma forma de falar do amor de Deus que ama e prospera os seus filhos. Identifique se, na sua vida, você utiliza chavões desse modelo para justificar as suas limitações e questione mais sobre eles. "É mais fácil um camelo passar pelo fundo de uma agulha do que um rico adentrar no reino dos céus". Quem quer ser rico sabendo que provavelmente não irá para o céu? Principalmente se acreditar que "o fundo da agulha" é aquele de costurar roupas. Essas são pessoas fadadas a viver na pobreza ou em grandes limitações, porque ricos não vão para o reino dos céus e pobres sim. Assim elas pensam e, portanto, todas as possibilidades de melhorar de vida serão inconscientemente boicotadas. Outros não conseguem ser felizes enquanto não doam tudo que têm. Óbvio que a filantropia é importante, mas acumular qualquer tipo de bem pode gerar inconscientemente uma angústia que só se alivia quando há o desvencilhamento dos seus bens. Vou dar exemplos dos tipos de crenças equivocadas que vejo e atendo com mais frequência. Talvez você se enquadre em algumas. Me permita te pedir um favor? Não leia por ler a lista abaixo. Tente parar tudo neste momento. Nela podem estar muitas respostas para os teus questionamentos.

1. Eu acho que tudo precisa ser absolutamente perfeito.
2. Preciso agradar as pessoas. Dessa forma, eu não serei rejeitado.
3. Não levo jeito para isso. Não nasci com dom. Não consigo.
4. As coisas nunca dão certo para mim.
5. Se eu não dedicar 100% do meu tempo ao trabalho, não conseguirei nada na vida.
6. Sinto dificuldades em receber elogios.
7. Estou velho demais para conseguir.

8. Não tenho tempo para nada.
9. Não sou capaz de conseguir um emprego melhor.
10. Eu preciso fazer sempre mais do que o normal para ter valor.
11. Eu nunca vou conseguir mudar.
12. Não sou bom o suficiente para isso.
13. Se eu falar tudo o que penso, as pessoas me rejeitarão.
14. Se ele/ela não mudar, eu não conseguirei ser feliz.
15. Nunca vou conseguir dinheiro na vida, afinal não tenho estudo e sou de família pobre.
16. Sou muito burro.
17. Convivo no meio de idiotas.
18. Isso é muito difícil.
19. Eu não mereço ser feliz no amor.
20. Não tenho direito de me divertir.
21. Eu tenho que ser elogiado para me sentir bem comigo mesmo.
22. Quem critica meu comportamento está criticando também a minha pessoa.
23. Não consigo me organizar.
24. Dinheiro não é importante, o amor, sim, que é importante.
25. Eu não sei o que eu quero, por isso é melhor não fazer nada.
26. Nunca vou conseguir alcançar esse sonho. Quem me dera.
27. Isso é impossível para mim.
28. Não sou capaz de montar meu próprio negócio.
29. Não conseguirei me virar sozinho, por isso me mantenho nessa situação.
30. Eu não tenho tempo para alimentação adequada.
31. Eu não tenho tempo para praticar exercício.
32. Não me abro com ninguém porque, se me conhecerem, não irão gostar de mim.

33. Não tenho o direito de ficar alegre vendo tanta gente no mundo triste e infeliz.
34. Não sou capaz de resolver esse problema.
35. Só ganha dinheiro quem faz coisas erradas.
36. Todo rico é ganancioso.
37. Não é possível viver daquilo que se ama.
38. As pessoas vão se aproximar de mim somente por interesse.
39. Só vou melhorar financeiramente depois que ele/ela mudar suas atitudes.
40. Não gosto de receber presentes. Sinto-me na obrigação de retribuir.
41. Eu devo colocar as necessidades dos outros antes das minhas.
42. Sou pobre, mas pelo menos sou honesto.
43. Tudo para mim é mais difícil do que para os outros.
44. Eu preciso sentir medo para fazer as coisas acontecerem.
45. Preciso apenas do mínimo para sobreviver.
46. Não posso vencer nem ser feliz porque minha saúde está debilitada.
47. Enquanto eu não casar, não serei feliz.
48. Enquanto não sair desse lugar, não serei feliz.
49. É melhor eu não tentar, afinal, se der errado, o que vão pensar de mim?
50. Comigo é assim. Se não quiser, tchau.
51. Perdi muito tempo na vida.
52. O mundo está em crise, está difícil para todo mundo.
53. Sou responsável pela felicidade das outras pessoas.
54. As pessoas são responsáveis pela minha felicidade.
55. Se eu estou sofrendo, eles têm que sofrer comigo.
56. Fui muito mau com as pessoas, vou ter que morrer pagando.
57. Não sou capaz de cobrar o preço justo pelo meu trabalho.

58. Não consigo pensar grande.
59. Dinheiro é sujo.
60. Minha escolha é a melhor. Todas as outras são inferiores ou equivocadas.

Se algumas dessas crenças fizeram sentido para você, meus parabéns! O primeiro passo para a grande mudança é saber identificar a origem da falha, e você conseguiu reconhecer. Você acaba de avançar um pouco mais. Cada item dessa lista é uma corda de amarrar cavalo em cadeiras, pois a partir de agora você verá que tais crenças não correspondem à realidade de sua vida. É apenas a criação de paredes imaginárias. Vamos ao desafio.

REGRA DOS 3

Pense nos dois momentos deste tema que mais te marcaram. Relembre esses momentos três vezes no decorrer do dia.

____

____

DESAFIO

Exercício 1

Este desafio será fácil. Em cada item da lista de crenças, você terá que fazer duas coisas: interrogar o porquê da crença e criar um argumento oposto a ela. Veja o exemplo a seguir. Com ele você conseguirá fazer os demais. Não é necessário escrever. Basta fazer mentalmente item a item.

1. "Tudo precisa ser absolutamente perfeito".
Por que tudo? Sistemas erram, os carros às vezes passam por *recall*, pessoas erram...

2. "Preciso agradar as pessoas. Dessa forma, eu não serei rejeitado".
Por que preciso obrigatoriamente agradar? A própria história dos evangelhos nos mostra que Jesus posicionou-se agradando a quem deveria agradar e desagradando a quem deveria desagradar. No entanto, foi rejeitado principalmente por aqueles que mais teriam razões para não rejeitá-lo.

3. "Não levo jeito para isso. Não nasci com dom. Não consigo".
Será que realmente tenho essas limitações? Hoje mesmo vi um vídeo no qual um macaco andava de bicicleta. Será que ele leva mais jeito do que eu para o aprendizado? Foi provado pela aerodinâmica que seria impossível para um besouro voar; no entanto, ele consegue.

DICA

Este exercício é fabuloso porque te ajudará a expandir a mente. Força você a enxergar a mesma afirmação por outros ângulos. Futuramente, quando uma ideia vier a sua cabeça, você terá a perspicácia de questionar e não apenas aceitar automaticamente como verdade absoluta. Isso te ajudará a ser uma pessoa mais sábia e menos refém dos sentimentos. Acredite, é uma evolução astronômica.

Exercício 2
Circule na lista com uma caneta os números correspon-

dentes às crenças com as quais você mais se identificou. Faça com essas identificações o mesmo exercício do item anterior, porém busque vários argumentos em vez do que você já havia pensado antes. Prepare-se, porque essa experiência será libertadora para você!

DICA

Sugiro a você que peça para alguma pessoa de sua intimidade ou inteira confiança que também circule na sua lista a visão sincera dela sobre você (ponha caneta com cor diferente para você identificar como você se vê e como a pessoa te vê). Isso poderá te chocar, porque você verá algumas atitudes que são imperceptíveis aos teus olhos ou que você reluta em acreditar. O simples fato de você não concordar com a visão da pessoa ou a sua tentativa inconsciente de atacá-la pelo que ela apontou ao seu respeito já poderá ser um sintoma de autossabotagem (assunto do próximo encontro).
Viva o progresso!

5º ENCONTRO — AUTOSSABOTAGEM

A repetição de padrões que nos boicota

INÍCIO DO ENCONTRO ____/____/____ TAREFAS CONCLUÍDAS ____/____/____

Primeiramente, precisaremos entender o que vem a ser "sabotagem". É uma palavra de origem francesa e tudo indica que surgiu no período da revolução industrial, em que se iniciaram os trabalhos com maquinários. Naquela época, os operários trabalhavam com calçados de tamanco. Como forma de protestar contra o patrão, os trabalhadores jogavam seus tamancos nas engrenagens das máquinas que, por consequência, quebravam e paralisavam. No idioma francês, o nome desse tamanco é *sabot*. Daí a palavra sabotar.

O termo sabotagem se popularizou com o sentido de impedir ou prejudicar o funcionamento de algo ou trazer prejuízos a alguém. Tem o mesmo sentido de boicote.

A autossabotagem, por sua vez, é quando alguém pratica a sabotagem contra si próprio. Isso deixa a pessoa muito confusa porque, conscientemente, ela sabe que está se prejudicando. Entretanto, não conhece as razões inconscientes que a levam a se prejudicar. Agora você vai entender o porquê disso acontecer: nossa mente tem duas partes básicas – o consciente e o inconsciente. No encontro anterior, pudemos ver que a mente inconsciente ocupa mais de 90% da nossa mente, enquanto a consciente ocupa o restante. Nossa mente consciente é a parte racional e se ocupa basicamente de funções como racionalização das coisas, julgamento, exercício da vontade e organização das ideias e memórias, principalmente as de curto prazo.

Já o nosso inconsciente é mais instintivo. É lá que se padronizam os hábitos, sejam bons ou ruins, fazendo emergir comportamentos ou ações automatizadas (aquelas atitudes que primeiro fazemos e pensamos depois). As emoções também estão sob as demandas do inconsciente. Por esse motivo é tão difícil domá-las apenas com nossa vontade. Os especialistas em programação neurolinguística e inteligência emocional sabem bem disso, aplicam diversos exercícios cujo resultado visa "baipassar" a mente consciente e conseguir um resultado emocional desejado de imediato.

As técnicas de hipnose também acessam o inconsciente de forma rápida. Isso acontece por meio do trabalho de modificação do estado de consciência da pessoa até que esteja em transe. Com isso, o hipnólogo acessa o inconsciente mandando o comando direto ou resgatando memórias reprimidas que não seriam possíveis com a pessoa consciente. O mesmo ocorre com as mensagens subliminares, que são enviadas direto para o nosso inconsciente sem passar pelo julgamento da mente consciente.

O inconsciente evoca um desejo muito forte de seguir na direção de tudo que o impressiona emocionalmente. E como a força de vontade está na consciência, essa pessoa racionalmente conseguirá uma boa desculpa para se convencer em executar tal ação que o inconsciente a impele a fazer. Essa justificativa é um mecanismo de defesa.

O senso inconsciente de autopreservação também coloca como prioridade qualquer ação que instintivamente seja interpretada como prejudicial à vida. Por exemplo, em uma situação de perigo ou fome de muitos dias, a pessoa reagirá irracionalmente.

As informações armazenadas no inconsciente são atemporais, ou seja, mesmo algo tendo acontecido há décadas, poderá provocar diversas sensações se for relembrado hoje. Uma cidade revisitada pode te fazer lembrar bons momentos ali vividos, uma música te trazer recordações de amigos queridos e a fragrância de um perfume te fazer lembrar o primeiro beijo. Por isso, os terapeutas ajudam seus pacientes a ressignificarem lembranças que sejam ruins para não mais causarem dor ao serem relembradas. É impossível apagar as experiências. Por mais que não sejam lembradas, elas estão vivas e pulsantes no inconsciente.

O inconsciente é desorganizado. Por isso, poderemos incorrer no erro das falsas memórias, ou seja, um determinado fato acontecido no passado poderá ser remontado com parte das informações reais e partes imaginadas, enquanto a mente consciente organizará tudo para que seja um roteiro coerente e aceito como verdade. Acredite, muitas de nossas lembranças contêm invenções. Há diversos casos de consultório com histórias fragmentadas nas quais a pessoa, sem se dar conta, remonta e enxerta informações para concluir a história.

O nosso inconsciente influencia completamente as nossas atitudes, porém não temos a mínima ideia de como isso acontece. A fase mais perigosa da nossa vida é a da infância, porque as informações armazenadas nesse período poderão determinar como será nosso estilo de vida para sempre.

Uma criança de até aproximadamente 7 anos registra todas as informações totalmente sem filtros. É como você pegar uma filmagem bruta para compor um vídeo sem editar imagem, som, iluminação, roteiro, enfim, é como uma esponja que absorve tudo. A criança está consciente, mas não sabe que está consciente. É nesse momento que começam a surgir os paradigmas, conceito abordado no encontro anterior.

Podemos dizer que a autossabotagem é como se fosse um termostato responsável por não nos deixar ir além dos limites impostos por nós mesmos. Se você está em uma sala e o ar-condicionado foi programado para atingir 20 °C, automaticamente, ao atingir tal temperatura, ele interromperá o resfriamento (este exemplo é tão didático que diversos autores nacionais e estrangeiros o utilizam para expressar o limite, mas não vi nenhum abordar as consequências da forma como vou abordar aqui). A mesma coisa ocorre com o ferro elétrico, que podemos programar a temperatura conforme determinado tipo de tecido.

A autossabotagem, apesar de ter um nome depreciativo, na prática, não seria boa nem má. Ela apenas cumpre sua missão de barrar excessos para que eu não vá além de onde determinei pelas minhas crenças que iria. As crenças representam meu ambiente de conforto e limite seguro. Sendo assim, o mecanismo que chamamos de autossabotagem é o meio automatizado que age para nos manter na margem de segurança. Se modulei as minhas crenças em 20 °C, é ali que vou permanecer. Qualquer circunstância que me impulsione para além disso causará uma incongruência interna e algo de desagradável poderá me acontecer para me manter na temperatura que eu determinei.

Por exemplo, você pensa, "vou estudar bastante para fazer concurso público, porque eu quero ter a minha estabilidade financeira". Então você se debruça a estudar, pesquisa, faz centenas de exercícios, faz cursinhos, estuda on-line e se dedica por mais de dez horas diárias durante um longo período. A conclusão é que você está afiado nos estudos e é altamente elogiado pelos professores pelo seu desempenho fenomenal. No dia da prova, você simplesmente perde a hora, se atrasa, ou fica doente, ou pega o ônibus errado, ou chega diante da prova e dá um branco. Isso pode ser consequência da autossabotagem. O simples fato de ter ouvido na vida repetidas vezes dos pais palavras como "Nossa família só tem burro. Ninguém consegue ter um futuro decente!" já é o suficiente para estabelecer uma crença porque a criança tem seus pais (ou outros adultos que foram responsáveis por sua educação) como referenciais de autoridade suprema.

Se estiver registrada no seu íntimo a afirmação de que você não pode conseguir determinada coisa, inconscientemente essa sua crença se confirmará por diversas vezes na sua vida por meio dos fracassos que você experimentará por autossabotagem. E, pelo fato de essas crenças estarem arraigadas no nosso inconsciente, a nossa mente consciente fica muito confusa por não conseguir entender os acontecimentos. Alguns chegam a pensar que têm problemas ou que são doidos.

> **"O MECANISMO QUE CHAMAMOS DE AUTOSSABOTAGEM É O MEIO AUTOMATIZADO QUE AGE PARA NOS MANTER NA MARGEM DE SEGURANÇA."**

Um amigo me procurou precisando de ajuda com um questionamento. Ele é instrutor de autoescola (e particularmente um dos melhores que conheço em legislação de trânsito). Sua queixa era que ele se dedica muito em passar conhecimento e desenvolvimento prático para os seus alunos, utiliza técnicas que realmente geram aprendizado, mas meu amigo se entristecia porque, na hora da avaliação do Detran (Departamento Estadual de Trânsito), muitos alunos acabavam sendo reprovados. Ele pediu alguma dica psicológica para poder ajudar seus alunos a aliviarem a tensão e ansiedade na hora da prova. Eu expliquei um pouco deste conteúdo para ele e sugeri uma técnica de visualização. Geralmente, as pessoas que reprovam são as que transferem inconscientemente para os avaliadores características dos pais ou responsáveis que duramente criticavam o filho. Isso fica registrado e, como já pudemos ver, o inconsciente é desorganizado a ponto de fazer com que vejam o pai crítico na figura do avaliador. O resultado disso é que os alunos são reprovados (conscientemente pelos avaliadores e inconscientemente pelo pai, como confirmação interna de que não é capaz de vencer, ainda que domine o conteúdo).

Como os alunos não veem meu amigo professor com esse perfil crítico destrutivo, sugeri a ele que realizasse simulados com seus alunos como se fosse o dia da avaliação do Detran. Inclusive, ele deveria se comportar como o próprio avaliador. A única diferença é que, no dia da prova real, os alunos deveriam olhar para o avaliador imaginando a figura desse meu amigo. Como a mente não diferencia uma imagem real da imagem pensada, o resultado foi um sucesso! Depois de algum tempo, ele me ligou para agradecer por ter conseguido o êxito de aprovar 100% dos seus alunos.

Tenho um caso de consultório no qual a paciente analisada (chamarei de Raquel) não conseguia perdurar com o mesmo homem no relacionamento por mais de três meses. Obviamente, essas separações são uma autossabotagem. É o sintoma do que está acontecendo nos bastidores de sua mente. Nesse caso, ela trouxe à memória o histórico de sua mãe repetidamente sendo enganada pelos homens com quem havia se relacionado. O que a sua mente registrou desses momentos se transformou em crença. Para Raquel, os homens não prestavam e, portanto, não se poderia ficar muito tempo com eles. Quando ela se via às margens de um envolvimento emocional mais profundo, simplesmente se sabotava terminando o namoro.

O perfil de homem escolhido por Raquel, na maioria das vezes, era os de caráter duvidoso, porque, inconscientemente, estes são os que teriam as melhores condições de decepcioná-la. Por isso, muita gente se envolve com pessoas que são notoriamente maus elementos. Todos ao redor sabem disso, mas parece que a pessoa está cega. Alguns até tentam, sem sucesso, alertar sobre essa situação, mas todas as tentativas serão frustradas, porque esse é o agente que cumprirá o papel de sabotar e nada poderá atrapalhar.

O interessante é que muitos homens de caráter e de boa índole também se interessavam por Raquel, mas, como existe uma psicodinâmica por trás disso tudo, obviamente, os com jeito de fiéis e carinhosos não a atraiam. Após compreender que estava em um ciclo de autossabotagem por causa do paradigma da mãe, ela conseguiu se enxergar por novos ângulos. Obviamente ficou abismada quando "sua ficha caiu" e, como conclusão, hoje Raquel é uma mulher casada e plenamente feliz.

Todos nós vemos, no dia a dia, diversos casos de pessoas que recebem bons salários, mas estão sempre catando moedas. Esclareci no encontro anterior que, se a pessoa programou a crença de que o dinheiro não traz a felicidade, a autossabotagem cumprirá o papel de transformar em fato a afirmação, deixando a pessoa sem nada porque, assim, ela será supostamente feliz. Sendo que ninguém fica feliz sem dinheiro porque as contas e a escassez trazem tristeza. Então ela novamente pegará no dinheiro, mas, como ela se vê triste, se desfará do que tem até ficar zerada, porque o dinheiro não traz a felicidade, e assim o ciclo novamente se estabelece (lembrando que a pessoa nem imagina o porquê disso acontecer e você, que me lê, está compreendendo agora).

Mulheres que só se envolvem com alcoolistas podem inconscientemente tentar resgatar, no companheiro, o pai que morreu por conta do álcool. Como se fosse uma tentativa obstinada de aliviar a dor de não ter conseguido "fazer nada" pelo pai. Os homens que só se relacionam com mulheres mandonas podem estar inconscientemente procurando na companheira o padrão vivenciado em sua família com a mãe mandona e o pai "banana".

Outros se sabotam no emprego. Conscientemente, batalham para conseguir uma promoção, mas, quando estão prestes a conseguir, se sabotam. Começam a entregar atestado na empresa, arrumam briga com chefe da repartição e, como consequência, a vaga vai para outro.

Muitos se sabotam por meio dos ganhos secundários, que, em termos simples, significa os benefícios trazidos na vivência de determinado transtorno. Por exemplo, a pessoa que vive em um vitimismo pode receber um ganho secundário quando se faz de vítima, consegue atrair mais carinho e atenção das pessoas, ter apoio mais próximo, enfim, inconscientemente, poderá se enfiar em diversas situações que farão com que ela seja vista como uma coitadinha e, com isso, atrairá mais olhares piedosos, carinho e atenção. Esses são apenas alguns dos exemplos mais corriqueiros de autossabotagem.

Qualquer repetição cíclica na vida pode ser um indício de autossabotagem. Agora eu te pergunto: há algo que se repete com frequência em sua vida? Pare um instante e analise. Nesse exato momento você pode estar se sabotando. Talvez possa estar acontecendo há anos. A minha pergunta é simples: até quando você pretende continuar repetindo padrões destrutivos?

Vou dar um norte para que você possa se desvencilhar desse ciclo. Precisamos fazer uma autoanálise honesta da vida e nos conscientizar do que possa estar errado conosco, como vimos no desafio anterior. Naturalmente, você identificará que o motivo da desordem é proveniente de crenças (mais um forte motivo para você se esforçar ao máximo para cumprir o desafio do encontro das crenças).

A autossabotagem é um hábito cultivado que se estabeleceu de forma imperceptível. Uma vez que você tenha tomado consciência da causa, o próximo passo é desconstruir esta prática. Você pode fazer isso construindo novos hábitos conscientemente. Essa construção acontece por meio da repetição. Então escolha os comportamentos e repita-os, pois a prática formará novos hábitos. A repetição de qualquer comportamento positivo ou negativo cria novos hábitos, queiramos ou não.

Introduza nas suas repetições o hábito de imaginar coisas que condizem com o seu desejo. Digamos que sua autossabotagem seja na falta de dinheiro, que o seu limite de dinheiro preestabelecido nas crenças seja um salário e meio por mês. Naturalmente, o que você fizer para aumentar seu salário não surtirá efeito, porque o seu modelo de dinheiro está programado para um salário e meio. Você deverá primeiro aumentar o valor do seu salário na mente, acredite! Digamos que três salários. Você criará uma atmosfera mental de três salários, criando imagens mentais dos três salários. Veja na mente esse dinheiro entrando na sua conta e você se sentindo muito feliz com isso. Veja como é bom se ver mais folgado financeiramente, com dinheiro sobrando para investir em alguma coisa. Sinta isso. Imaginar é criar uma imagem na mente. Isso é importante porque é lá na mente que está a imagem da escassez que talvez você tenha guardado há anos. Como aprendemos que o que impressiona o inconsciente é a emoção, você precisa se sentir feliz enquanto a imagem da sua prosperidade é criada. Na religião, o nome disso é fé, e muitos nem sabem o que é isso. A fé não é acreditar que algo possa acontecer; isso é crença, que pode ser construída de igual modo a uma crença de que nunca conseguirei algo. A fé está em um nível além. A fé rompe as crenças, fazendo com que aquilo que era impossível ao nosso sistema consolidado seja "baipassado". Então, fé não é acreditar. Fé é se ver na realidade desejada. Eu não preciso somente acreditar na casa nova porque eu já me vejo nela, passeando pelos cômodos, impressionado com a sua beleza e apreciando seus detalhes. Isso é fé! Imaginar-se lá.

Na física quântica, as imagens, quando são carregadas de emoção e detalhes, são capazes de criar mudança vibracional no universo. Este livro que está em suas mãos é fruto de visualizações minhas em imaginar pessoas tendo acesso a um conhecimento que traria melhoria pessoal e profissional para suas vidas por meio do despertar da mente. A imaginação com emoção equivalente é uma forma poderosa de modular a temperatura do seu termostato.

Cultive o hábito de pensar nas coisas que poderão acontecer e não nas que já aconteceram. Se equalize pelas boas expectativas de futuro e não pelos seus dissabores do passado.

REGRA DOS 3

Pense nos dois momentos deste tema que mais te marcaram. Relembre esses momentos três vezes no decorrer do dia.

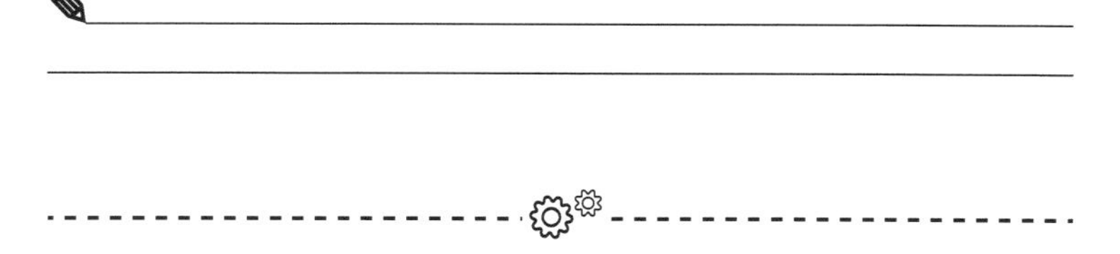

DESAFIO

Este desafio não exatamente será executado agora. Quando identificar uma ação sabotadora, você irá parar por um instante, respirar e pensar: "por que eu preciso fazer isso? Agora eu já tenho o conhecimento e sei que isso é apenas um hábito negativo que só trará danos e tristeza para a minha vida!".

DICA

Se você construir como hábito esse padrão mais positivo de pensar, conforme já exemplificado, prepare-se para se surpreender com os avanços que terá e com a sensação de libertação emocional que te inundará. Ressalto que, se você não conseguir resolver isso por conta própria, um profissional *coach* especializado em inteligência emocional poderá ajudá-lo. Entretanto, o profissional que tem ferramentas para chegar às camadas mais profundas desses embaraços emocionais é o psicanalista.

6º
ENCONTRO

MEDO

Alarme de perigo real ou imaginário?

INÍCIO DO ENCONTRO ____/____/____ TAREFAS CONCLUÍDAS ____/____/____

O medo é uma sensação associada a um perigo que pode ser real ou imaginário. É uma das emoções mais primitivas que existe e pode ter diferentes origens. Uns têm medo de barata, outros têm medo do microfone, outros, de lugar fechado...

Não vou especificá-los porque, como já vimos, o sistema de crença de cada indivíduo determinará grande parte dos seus medos, sendo que a minoria deles corresponde a um perigo real. Então vejamos a sua essência. O medo tem três funções básicas: fazer o indivíduo paralisar, fugir ou atacar.

A percepção do medo impõe ao organismo que libere determinados hormônios, como a adrenalina, a noradrenalina e o cortisol. O cérebro entende que algo de ruim está prestes a acontecer e então se prepara. Essa reação acontece no sistema límbico do cérebro, mais especificamente no tálamo, o que causa uma série de reações fisiológicas que se iniciam em nosso organismo, como a mudança do comportamento sanguíneo, irrigando determinados músculos para ajudar na resposta de ataque ou fuga; o aumento da frequência cardíaca; a aceleração na respiração... Tudo isso acontece muito rápido.

Todas as vezes que vivenciamos uma situação de perigo, a memória emocional da experiência será armazenada no nosso sistema límbico. Por esse motivo, vemos que o jovem é tão inconsequente: porque não teve vivência de muitas coisas da vida. Recordo-me da minha infância, quando eu subia em um pé de jabuticaba absurdamente alto. Hoje, só de lembrar, me questiono como eu fui capaz de subir naquela jabuticabeira porque, hoje, tenho a percepção do perigo daquele ato e do dano que poderia ter me causado. Meu cérebro já registrou muitas experiências pelo decorrer da vida e me alarma quando estou em uma situação que poderá trazer algum tipo de dano. A memória emocional tem a função de preservação da espécie, e o instinto de sobrevivência faz com que essas memórias fiquem registradas e, quando estivermos em uma situação semelhante de perigo, não precisaremos raciocinar muito. Simplesmente teremos uma daquelas reações automáticas: paralisar, fugir ou atacar.

Aconteceu comigo há um tempo, passando por uma rua em Rio das Ostras (RJ). Repentinamente, surgiram tantos cachorros vira-latas correndo em minha direção que, instantaneamente, meu coração acelerou, enrijeci o corpo e fiquei paralisado. Foi uma reação automática. Eles se aproximaram, me cheiraram e foram embora, e eu continuei andando devagar, aliviado por não ter saído com a marca dos caninos em mim. Já existe um registro no meu sistema límbico de reações semelhantes. Aprendemos desde cedo que, se corrermos, ativaremos nos cães o instinto de dominação. Me voltar contra eles, impossível. Eram muitos. Meu cérebro sabia que a reação mais adequada para aquele momento não era atacar nem fugir, e sim paralisar.

O interessante é que, atualmente, eu não passaria pela mesma rua caminhando, porque, ao me aproximar dela, me lembraria do que ocorreu. Isso é o mecanismo de defesa de uma situação real.

Contudo, o grande infortúnio do medo não é o citado até o momento, pois este se trata de resposta a algo real.

O inconveniente são os medos imaginários. Esses, sim! O indivíduo moderno vive assombrado por torrentes de medos que não têm base nenhuma na realidade e, sendo o medo real ou imaginário, as reações fisiológicas de igual modo acontecerão.

Por isso, vemos muitas pessoas com a vida paralisada. Por reação ao medo imaginário! São diversas situações que só elas acreditam que existe. Ficam décadas estagnadas, neutras, invisíveis em uma sociedade repleta de oportunidades de natureza pessoal, afetiva ou profissional. Como diz o título da música interpretada por Maiara e Maraisa, é um "Medo bobo". A grande questão é que o medo visto como bobo para você pode ser o grande atormentador dos meus dias. E vice-versa.

Outras pessoas vivem em fuga por conta de medos imaginários e acabam perdendo grandes oportunidades na vida. Um trabalhador possuído de medo poderá fugir de certas responsabilidades, negar promoções, evitar se expor porque o medo o faz se esconder das oportunidades que surgem. Muitos têm forte potencial empreendedor para ser dono do próprio negócio, mas o medo da insegurança salarial o desvia deste caminho. Muitas vezes nos apegamos a falsas seguranças por causa do medo que nutrimos.

"O INDIVÍDUO MODERNO VIVE ASSOMBRADO POR TORRENTES DE MEDOS QUE NÃO TÊM BASE NENHUMA NA REALIDADE."

Outras pessoas, em resposta ao medo imaginário, atacam os outros. Talvez você não tenha se dado conta de que o perfil agressor de algumas pessoas pode estar relacionado ao medo e elas acabam agindo dessa maneira como mecanismo de defesa. Seja com palavras agressivas, com atitudes (quebrando coisas, arremessando violentamente objetos) ou até com ofensa física. Isso pode estar ligado à forte sensação de perigo imaginário que a pessoa se atribui no momento. Entretanto, desde cedo elas aprenderam a se defender "afugentando os oponentes" com essas atitudes. Você deve identificar pessoas das quais a maioria tem prudência em se aproximar.

Vale lembrar que o foco central aqui não são os transtornos fóbicos, aqueles medos irracionais e intensos que são causadores de forte angústia. Por exemplo, a pessoa que fica presa em um elevador e é capaz de jurar que vai morrer. Tantos anos trabalhando com as emoções e nunca ouvi falar de um indivíduo que tenha morrido em um elevador porque lhe faltou ar, por ficar preso eternamente ou algo parecido. Já ouvi relatos de parada cardiorrespiratória, mas isso não tem a ver com o ambiente físico, e sim com a sensação imaginária intensa do perigo. E não é um caso recorrente.

O registro dos medos mais intensos no nosso sistema límbico pode se dar basicamente por duas realidades: um trauma que a pessoa tenha adquirido em uma experiência real ou um trauma registrado ainda na infância. Esses registros são consolidados a partir de circunstâncias que a pessoa tenha visto, ouvido ou experimentado. Uma mãe que entra em desespero ao ver o filho pegando em uma barata poderá passar para ele o mesmo medo porque, como já vimos, uma memória de perigo começa a se instalar no sistema límbico da criança. Quando nós vemos a reação de dor no outro, também tendemos a anexar aquilo à nossa memória do medo.

Por isso, não é saudável assistirmos a reportagens que exploram roubo, morte, assalto, tragédias, pois tais experiências de dor dos outros contribuem fortemente para o nosso compêndio de medos. O resultado disso é uma população que vive em estado de alerta contínuo, desequilibrando a liberação de hormônios do nosso corpo e nos mantendo constantemente energizados sem um objetivo real, estressados e, a longo prazo, adoecidos por enfermidades gástricas, neurológicas, psiquiátricas e outras mais, devido ao tanto que o organismo se prepara quimicamente para o perigo e este não acontece.

Para exemplificar outro medo, utilizarei um trauma de infância. Trata-se de um caso de consultório. Um rapaz ardia em pavor de aranhas a ponto de ter alucinações noturnas. Os psicólogos denominam o termo de aracnofobia. Vivia em estado de alerta contínuo por imaginar que pudesse se deparar a qualquer momento com uma aranha. O trauma infantil é carregado de simbolizações inconscientes. Após algum tempo de análise, o menino resgatou fragmentos em sua memória de sua mãe nua andando pela casa com os pelos pubianos à mostra. O menino associou essa imagem à aranha e, em seu inconsciente, todas as vezes que via uma aranha, na verdade, emergia o sentimento de culpa por ter visto sua mãe nua. A psicanálise o ajudou a se livrar desse medo, porém muitos seguem uma vida inteira com sofrimentos semelhantes. Outro caso é de uma adolescente que tinha medo de palhaço. Em análise, foi evidenciado que o medo era do pai, pois a jovem se lembrava de uma vez que seu pai havia se vestido de palhaço. Ela nutria grande ódio reprimido ao pai devido às agressões que ela e a mãe sofriam, porém era um pai que dava comida boa, moradia e era muito honesto. Na ambivalência de admirá-lo e odiá-lo, o conflito se solucionava com o deslocamento para a figura do palhaço. Esse é outro exemplo de medo simbolizado.

Ressalto que não podemos confundir o medo normal com o medo patológico, que, inclusive, é catalogado na classificação internacional de doenças da Organização Mundial da Saúde (OMS). Este seria um medo desproporcional e intensificado por determinado dano. Nem confundir fobia com ataque de pânico, que está ligado a uma sensação de perda de controle na qual a pessoa acredita que vai morrer.

Tratamento

Os profissionais preparados para essa demanda são os da família psi. Sendo uma inadequação mais simples, o psicólogo ou psicanalista atendem. Se for mais complexo, esses profissionais poderão encaminhar para um psiquiatra para avaliação médica e, dependendo do caso, propor uma ação medicamentosa. Para uma ação-estanque, tipo fobia, o psicólogo é o profissional indicado, que realiza uma metodologia denominada terapia cognitivo-comportamental (TCC), na qual o cliente, acompanhado pelo profissional, executa atividades de exposição paulatina ao objeto do medo.

Tenho um exemplo particular. Na infância, adquiri um medo exacerbado de lacraias devido a algumas experiências ruins com elas. Em uma empresa que trabalhei, alguns colaboradores capturaram em uma garrafa pet uma lacraia gigante com a dimensão em torno de 20 cm. Quase um palmo da minha mão. Eu a mantive bem próxima de mim por um tempo em minha mesa de trabalho. Coloquei até comida para ela, "ficamos *brothers*". Até que uma colega de trabalho deu sumiço na garrafa e, até hoje, não sei qual foi o fim daquela lacraia. Foi muito bom terapeuticamente para mim. Hoje não tenho mais o pavor que tinha pelo bicho, apesar de existir o medo natural, afinal é perigoso.

Como lidar com o medo

Aprenda a ver o medo como um aliado. Ele é uma emoção boa porque nos ajuda na preservação da vida e na perpetuação da espécie, não tem o objetivo de nos prejudicar. Se conseguirmos enxergar dessa forma, a nossa atitude interna começa a mudar. Precisamos ser mais positivos.

O maior segredo para lidar com o medo que não é real é enfrentando-o. Saiba que o corajoso não é aquele que tem ausência de medo, e sim aquele que o enfrenta. Os maiores corajosos de todos os tempos são tidos como tal porque romperam o medo. Como disse Napoleão Bonaparte, "Duas coisas movem o homem: interesse e medo".

Muitos tentam te parar. Dizem que você não vai conseguir ter bom êxito no que pretende. Até somos tentados a pensar que essas pessoas querem o nosso mal, mas nem sempre é assim. Elas podem desejar tanto o nosso bem que tentam colocar o sentimento de medo delas em nós, porque, na cabeça delas, não conseguiremos. Elas entendem que se estivessem em nosso lugar também não conseguiriam ou, talvez, nem tentariam. Por te amarem, dizem para você desistir. Podem tentar te paralisar na intenção de te privar de experimentar dor porque seus conselhos se referem à forma como fariam consigo mesmas. Muitas vezes, o registro de medo imaginário dos outros também nos é transmitido como o medo real.

Não adianta fugir daquilo que proporciona medo porque podemos nos deparar com tal situação lá na frente outras vezes. O alvo do nosso medo é como se você estivesse em uma selva com uma fera silvestre solta. Se você dominá-la, o controle te trará paz. Se você fugir ou perdê-la de vista, ficará em constante estado de alerta com medo de ela inesperadamente surgir em sua frente. Qual atitude você escolherá: dominar a fera emocional ou adiar mais um pouco?

REGRA DOS 3

Pense nos dois momentos deste tema que mais te marcaram. Relembre esses momentos três vezes no decorrer do dia.

DESAFIO

1. Liste em um papel todos os seus medos que conseguir se lembrar.
2. Em seguida, pense e anote possíveis soluções para que você os supere.

DICA

Se for preciso, peça ajuda, pesquise soluções. Use sua criatividade. O simples fato de mapear seus medos em um papel já ajudará você a olhar por novos ângulos. O objetivo é sair da paralisia do medo. Lembre-se, um pequeno passo já é um grande avanço. Para subir a escadaria da sua vitória, você precisará superar degrau por degrau.

7º ENCONTRO

VÍCIOS COMPORTAMENTAIS

As práticas devastadoras

INÍCIO DO ENCONTRO ____/____/____ TAREFAS CONCLUÍDAS ____/____/____

Quando falamos em vícios, isso nos remete a drogas entorpecentes. As drogas são substâncias de origem natural ou artificial que interferem e desorganizam o funcionamento normal do organismo. Denominamos como drogas lícitas aquelas que são autorizadas por lei, por exemplo, para finalidades medicinais ou recreativas, como cigarro ou bebida alcoólica. As ilícitas são as proibidas por lei, mas nosso foco não será nesse tipo de droga.

Vício é uma palavra oriunda do latim, que significa "vinculado a algo" ou "escravizado por". São práticas que têm domínio sobre a pessoa a ponto de ela não conseguir evitar ou dizer não.

Nos dicionários, o termo é designado como um hábito frequente e prejudicial. A propósito, hábito é a forma repetida e permanente como nos comportamos diante de determinada situação. E sendo o vício um hábito, naturalmente precisará de repetições para se consolidar. A Organização Mundial da Saúde (OMS) define vício como uma doença física e psicoemocional. Obviamente, essa definição é médica, porque a química da substância nociva se mistura com a química do nosso organismo, causando reações significativas no sistema nervoso. Uma área do nosso cérebro chamada de córtex orbitofrontal se relaciona com processamentos importantes da nossa personalidade, da tomada de decisões e do nosso comportamento social. Essa área, quando afetada pelas substâncias químicas, praticamente deixa o indivíduo sem o discernimento para negar o consumo das próprias substâncias. Muitos passam a vida inteira sendo comandados pela batuta do maestro chamado vício.

As avaliações psicoemocionais evidenciam-nos que muitos indivíduos, no intuito de fugir dos percalços da vida e das infindáveis tristezas, acabam buscando como compensação algo que estimule a sensação de prazer imediato. Dessa forma, conseguem se ver momentaneamente afastados de seus problemas. Chamamos isso de mecanismo de fuga.

Entretanto, nossa ideia aqui é mencionar um tipo de vício que, geralmente, não é visto como tal e, por isso, não costumamos atribuir a ele valor destrutivo. Abordaremos o vício que não é oriundo de substância e, sim, de comportamento.

Há pessoas viciadas em jogos, pois a expectativa da recompensa que elas obterão com o suposto ganho as deixa inebriadas. Entretanto, a prática do jogo se tornará inevitável, porque a sensação de déficit as dominará completamente até que façam a sua "fezinha". Esse vício traz prejuízos incalculáveis. As pessoas perdem muito dinheiro, bens e propriedades. Como para todos os jogos ou, pelo menos, para a maioria deles, existe uma estatística que desfavorece o jogador, o que torna suas chances de vitória mínimas. Quando isso acontece, surge outro estresse: a tentativa de correr atrás do prejuízo, o que provoca mais prejuízos financeiros e cria círculo vicioso. Essa situação causa vergonha em que a está vivenciando. Por isso, evitam se abrir com os outros, mesmo que estejam envolvidos na prática há anos. É muito comum perderem carros, apartamentos e se enfiarem em dívidas oceânicas.

A tecnologia, um vício moderno, também tem aprisionado muita gente. Cinco minutos sem mexer no celular pode ser algo desesperador. Outros são algemados ao vício das compras e, ao comprarem algo, instantaneamente experimentam um alívio na alma. Na verdade, é uma recompensa momentânea que o nosso cérebro registra e libera dopamina, hormônio que nos causa sensação de prazer. Outros são viciados em seus trabalhos, em comida, em sexo, enfim... Esses vícios exemplificados são utilizados como preenchimento de um vazio ou uma falta que é difícil definir com clareza o que é e sua origem.

Já parou para refletir que muitos se viciaram em relações tóxicas? Há diversos livros científicos que explicam que há forte interação bioquímica nos aspectos dos relacionamentos, portanto existem possibilidades de a pessoa desenvolver alguma espécie de amor patológico e criar dependência emocional de alguém. Tenho um caso de consultório no qual a cliente havia terminado seu casamento há uma década. O ex-marido já havia constituído outra família, enquanto ela vivia como se todo o acontecimento passado tivesse sido no dia anterior. Nutria uma expectativa de que a qualquer momento ele voltaria. Ela era uma mulher jovem e formosa – você pode imaginar a quantidade de oportunidades de conhecer alguém que ela perdeu enquanto não refazia sua vida e "voltava a ser inteira", como ela costumava dizer.

Aceitação a maus-tratos e exploração da bondade ou ingenuidade também são casos frequentes de toxicidade no relacionamento. Muitas pessoas acabam suportando tudo em nome de um amor patológico. No campo sexual, no qual uma pessoa (sadista) sente prazer em produzir dor na outra que, por sua vez, sente prazer na dor (masoquista), o enquadramento seria diferente porque se trata de uma psicopatologia catalogada na Classificação Internacional de Doenças como sadomasoquismo.

Atente-se para que nenhuma relação tóxica esteja atrapalhando a sua vida no exato momento em que você lê esta frase.

O que faz a pessoa ficar presa aos vícios? Temos uma tendência a repetir o que nos dá prazer ou recompensa imediata. A dopamina é o neurotransmissor responsável pela nossa sensação de prazer. Como o efeito produzido não é duradouro, o organismo se vê no desejo ardente de repetir a sensação; consequentemente, a pessoa repete a prática. Deixar de atender à ordem é como se o organismo se rebelasse, fazendo pirraça e se alarmando.

No caso do uso de substâncias entorpecentes, a dose de dopamina é múltiplas vezes maior. Imagine despejar 5 mil litros de água em uma piscina que suporte apenas mil – é assim que ocorre. A alta dosagem de dopamina está muito além da capacidade de assimilação do cérebro, o que desenvolve uma espécie de tolerância como compensação, e quando a pessoa deixa de fazer uso, o cérebro reivindica a reposição da dose que se habituou a receber. Por isso, a pessoa entra em desespero, experimentando diversos sintomas desagradáveis de natureza orgânica, física e psicológica. O nome disso é síndrome de abstinência.

Como saber se você é viciado em algo? O viciado é tomado pelo desejo forte e contínuo em experimentar o estímulo, não consegue se desligar de imagens mentais relacionadas à prática. Se estiver fazendo alguma outra atividade, será capaz de acelerá-la para acabar mais rápido ou fugir de qualquer ambiente para praticar o vício. O viciado perde o controle do seu comportamento, como se perdesse o direito de escolha. Ele se vê obrigado a cumprir a ordem do cérebro. Praticamente, perde seu livre-arbítrio.

O viciado tentará provar para si mesmo, com argumentos convincentes, que sua prática não é inadequada. Ele ignorará a parte dos malefícios e ainda fará boas piadas para tentar fugir das consequências danosas. Um amigo fumante estava na padaria comprando um maço de cigarros. A imagem contida no maço que o balconista entregou a ele mostrava uma pessoa que, por ter o vício da nicotina, havia ficado impotente sexual. Ele devolveu aquele maço ao balconista dizendo "Eu quero aquele maço ali do câncer!".

Citando o exemplo de um indivíduo viciado em álcool, é possível também que percebamos a presença do vício em outras modalidades narcóticas. O viciado em álcool precisa consumir regularmente porque perdeu o controle e estabeleceu um padrão de consumo; beber apenas aos finais de semana não caracteriza vício. O dependente perde seus limites e, quando não consome a substância de que necessita, faz com que sintomas da abstinência apareçam, por exemplo, a tremedeira; os sintomas de abstinência variam dependendo da droga em questão. Nos vícios comportamentais, são comuns as crises de ansiedade.

Esse tema tem o objetivo de aguçar em você uma autoanálise e te despertar para uma ação prática em não desistir de encontrar a fuga desse labirinto. Muitos já se conformaram e acreditam que essa é a sina deles e não sairão jamais de tal realidade. Por isso, simplesmente se entregaram a uma profunda tristeza e deixam a vida passar. Não perca as esperanças. Retome suas armas e volte para a batalha.

Se pretende sair dessa situação, mesmo que as tentativas frustradas o façam ficar desacreditado, primeiramente deverá existir em você um forte desejo de mudar de vida. Sozinho, não haverá muitas chances de sucesso. Ponha como objetivo número um na sua vida a busca por ajuda profissional. Nos dias de hoje, existem diversos meios de apoio, como terapeutas,

"A PESSOA QUE JULGA NÃO TER MAIS NADA A PERDER NA VIDA É A MESMA QUE TEM TUDO A GANHAR."

grupos anônimos, grupos religiosos e páginas virtuais de apoio mútuo, em que há diversas pessoas passando por processos semelhantes ao seu. Na internet, você encontra fácil.

O maior obstáculo são as desculpas que damos para nós mesmos, dizendo que não há nada de errado ou acreditando não existir mais jeito para nós.

Não é saudável ter nada que nos domine. Se isso estiver acontecendo com você, algo está errado e você precisará voltar a ser o soberano de sua própria vida. Grave isto: a pessoa que julga não ter mais nada a perder na vida é a mesma que tem tudo a ganhar.

REGRA DOS 3

Pense nos dois momentos deste tema que mais te marcaram. Relembre esses momentos três vezes no decorrer do dia.

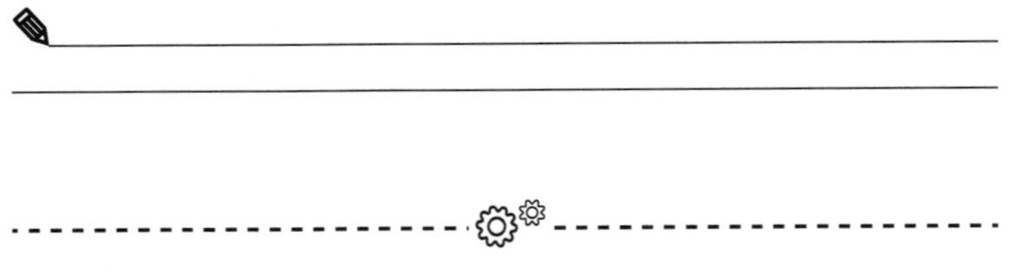

DESAFIO

Assuma este desafio e ponha a partir de hoje como prioridade número um de sua vida a procura de um especialista. Pare de adiar!

Seu caso é comportamental? Psicólogos, psicanalistas ou profissionais especializados poderão te orientar.

Seu caso é narcótico? O psiquiatra é o profissional indicado.

DICA

Se teu caso for consumo de narcóticos (álcool, cocaína, remédios controlados etc.), apesar do equívoco do pensamento popular de que "psiquiatra cuida de maluco", esse profissional terá a melhor forma de te ajudar nessa jornada. O psicólogo ou uma equipe multidisciplinar especializada em dependências químicas também poderão te orientar e te acompanhar. Dinheiro não é o problema. Você pode procurar o Centro de Atenção Psicossocial (CAPS), órgão governamental que oferece uma modalidade de atendimento exclusivo relacionado a problemas com drogas, ou programas semelhantes em sua cidade. Esse tipo de atendimento costuma ser menos demorado do que os demais. Vale relembrar que existe o grupo de narcóticos anônimos e diversas organizações religiosas que também mantêm programas de ajuda mútua. Traduzindo, pare de dar desculpas e procure ajuda. Caso se sinta inseguro, peça a alguém de sua confiança que te acompanhe.

8º
ENCONTRO

DECEPÇÕES

As lições intrigantes que devemos aprender

INÍCIO DO ENCONTRO ____/____/____ TAREFAS CONCLUÍDAS ____/____/____

Se você ainda não experimentou uma grande decepção, a qualquer momento isso pode acontecer; por exemplo, no âmbito do relacionamento, como no namoro ou no casamento em que você se dedicou ou se dedica dando o seu melhor (pois há pessoas que praticamente entregam suas vidas ao outro) e, como retorno, é presenteado com traições, desprezo ou insensibilidade. Isso gera decepção.

No âmbito familiar, você faz o possível e o impossível pelos filhos, pelos pais ou mesmo pelos parentes e amigos. E isso desde muito tempo. Ou desde sempre. E justamente uma pessoa que você tanto ajudou retribui esses esforços com punhaladas em suas costas de uma forma que você jamais esperava. Isso gera decepção.

No âmbito profissional, você se dedica profundamente aos afazeres do trabalho e, por algum motivo que não se sabe o qual, te demitiram. Isso gera decepção.

Em outros casos acontece a autodecepção, ou seja, quando você se decepciona consigo mesmo, o que às vezes leva ao abandono de projetos e sonhos.

Acontece em nossas vidas o sentimento de decepção nas vezes em que a realidade não corresponde com as nossas expectativas. Eu colocava tantas expectativas naquela pessoa e a realidade foi diferente do que eu esperava, e então eu me decepciono. É assim que acontece.

Acredite, se você se decepcionou com alguém, esse alguém não tem culpa nenhuma do peso interno que você carrega. A responsabilidade sobre o sentimento de decepção é sempre de quem o nutre. Infelizmente, a realidade é essa. Somos os únicos culpados em depositar tanta confiança nos outros. O excesso de expectativas não correspondidas gera profundas frustrações. Recordo de uma passagem bíblica que diz "Maldito é o homem que confia no homem" (Jeremias 17:5).

Isso quer dizer que agora eu deveria desconfiar de todo mundo? A questão não é desconfiar, porém esteja ciente de que, em algum momento, você poderá se decepcionar, ou melhor, em algum momento, aquela pessoa poderá não corresponder à expectativa que você depositou nela. Dessa forma, você não será pego de surpresa.

As pessoas que nos decepcionam geralmente são aquelas que estão perto de nós. Estranhos não nos decepcionam porque nós não depositamos afeto nem esperamos correspondência da parte deles. Isso significa que nos enganamos quando falamos "me decepcionei com quem eu menos esperava", pois, na verdade, são exatamente essas pessoas que mais provavelmente nos decepcionarão, devido à grande carga emocional envolvida.

Você se decepciona com um governo? Possivelmente não, porque todos sabem que, na nossa cultura, a corrupção é algo notório e previsível. Com isso, partimos do princípio de que, por exemplo, se um político usar recursos públicos ou de natureza duvidosa para benefícios pessoais, nada de diferente estará fazendo do que se espera de um político, mesmo que existam os honestos.

Espero não chocar você com o que vou dizer agora: a decepção tem seu lado positivo. Isso mesmo! Se você conseguir assimilar esse fato, certamente eliminará muita dor e sofrimento de sua vida. Quantas vezes já tentaram te alertar de algo e você ignorou? Vou dar exemplos: "Olha, cuidado que sua filha está andando com uns rapazes que não prestam" ou "Seu filho está se envolvendo com drogas". Nós queremos tão intensamente não acreditar nessas coisas ditas que, muitas vezes, ficamos chateados ou com raiva de quem nos alertou. A mesma coisa com relacionamentos. Tentam alertar: "Cuidado, seu marido está te traindo" ou "Cuidado com sua esposa", e a pessoa não quer acreditar, muitas vezes pela cegueira do suposto amor ou por medo de se deparar com a verdade, até que o fato explode e a pessoa amargamente se decepciona.

A decepção tem lições importantes a nos ensinar. Ela faz com que caiamos na real. Muitas pessoas vivem em ilusões e criam a ideia de que, caso continuem a acreditar nelas, não precisarão sofrer. Se não chegou ao meu ouvido, é porque não aconteceu. A vergonha maior é que todos ao redor já sabem sobre certos fatos indesejados, exceto você, que luta com unhas e dentes para acreditar que nada está acontecendo. Quando o fato vem à tona, você se sente envergonhado e decepcionado.

A decepção nos ajuda na resiliência. Ela nos deixa mais fortes e resistentes para quando passarmos por futuros embates emocionais. É uma bela professora, nos aperfeiçoa nas experiências da vida e na consolidação da nossa sabedoria. Entretanto, eu preciso ser um bom aluno e aprender com ela, porque sempre teremos na vida circunstâncias favoráveis para novas e novas decepções. Estamos aprendendo que a decepção não tem a ver com o outro, e sim conosco, então, se você deseja minimizar a exposição às decepções, cabe a você ser um bom aluno.

Como lidar com o mal que fizeram a você? Há uma sensação ruim circulante em nós em decorrência de experimentarmos decepções. Uma coisa urgente a fazer é... Você precisa se abrir! Converse com alguém de sua confiança.

Se você sentir vontade, chore. Chorar não é feio – nem para a mulher, nem para o homem. Mesmo que você precise se trancar em algum lugar, chore! Fale!

Não permita que essa decepção se transforme em amargura. Imagine uma caixa d'água cheia em que não entra nem sai água nova. Aquela água represada vai apodrecer. Ela vai estragar! Se você guardar este sentimento ruim aí dentro, você se tornará uma pessoa amarga e começará a ter atitudes que certamente irão te prejudicar.

Não deixe a sua vida paralisar por causa das decepções. Não interprete as vivências ruins como o fim de tudo. Muitos tentam dar cabo de suas próprias vidas, outros ficam deprimidos e perdem a vontade de viver, mas se esquecem de que, quando tudo parece que está desmoronando, novas possibilidades podem surgir, e a volta por cima poderá ser triunfal e trazer tantas alegrias como nunca houvera antes. Não vale a pena se entregar às emoções ruins.

Eu poderia dar diversos exemplos de pessoas que conseguiram grandes conquistas na vida após terem passado por uma bateria de decepções e desgostos. Contudo, o importante em todos esses casos é que elas não desistiram. E você também não desistirá, porque existe uma força estrondosa dentro de você. Seja como a palmeira, que enverga, mas não quebra!

"SE A PESSOA VIER TE PEDIR PERDÃO, PERDOE! E SE NÃO TE PEDIR PERDÃO, PERDOE-SE!"

Que fique a grande lição: quer evitar a dor de se decepcionar novamente? Não precisa parar a sua vida, apenas deposite menos expectativas na próxima vez. Dê um passo de cada vez. Nada de se jogar de cabeça se esquecendo do mundo ao redor.

Muitas vezes, a decepção chega em boa hora para nos ajudar a quebrarmos os pseudoencantos. Todas as vezes que agimos "encantados", comprometemos o real entendimento das nossas atitudes. Somente com a quebra desse "encanto" é que voltaremos a raciocinar adequadamente. Certas atitudes nossas são tão bizarras que depois pensamos "como fui capaz de fazer isso?". A decepção é uma auxiliadora na quebra de "encantos".

Não podemos deixar a nossa vida parar por causa dessas experiências. Nem usar uma decepção como base de sustentação para uma prática ruim ou destrutiva na nossa vida, como o rapaz que diz "Eu me envolvi no mundo do crime porque meu pai me abandonou e eu fiquei revoltado com isso".

Por pior que seja uma decepção, por mais dolorosa que seja, por mais catastrófica que seja, uma coisa é certa: ela vai passar. Pasme, mas você não deve esperar perdão de quem te decepciona porque o grande culpado dessa história é quem dá o cheque em branco na mão do decepcionador. Em outras palavras, você! Então, o que fazer? É preciso se perdoar!

Em outro encontro, falarei sobre o perdão e você entenderá melhor a sua importância. Por enquanto, guarde isso: você precisa se perdoar! Pela burrada de acreditar sem reservas e por responsabilizar o outro em agir com você da mesma forma que você possivelmente agiria. Isso não significa que tudo tenha que ser exatamente como antes, porém, se a pessoa vier te pedir perdão, perdoe! E, se não te pedir perdão, perdoe-se! Aqui, estamos tratando de prejuízos emocionais porque, se houver complicações físicas ou que envolvam bens, o caminho jurídico será um tópico que sai do nosso contexto. Particularmente, já perdoei dívidas oriundas de profundas decepções, mas não significa que você veja as coisas da mesma forma e seu ponto de vista deve ser respeitado. O que não deve acontecer é se remoer eternamente por algo. Adiar decisões importantes só intensifica e calcifica o sofrimento.

Há algum objeto familiar ao qual você atribua grande valor? Você tem algum presente de grande valor emocional dado por um amigo já falecido? Há alguém da sua família de tamanha relevância a ponto de você não conseguir viver sem ela? Sabe o que quero dizer com isso? Que objetos se quebram, bens familiares se vão, membros da família falecem. Observe que o problema não está nos elementos citados, e sim na relevância que atribuímos a eles. Por que a minha vida tem que parar se todas essas coisas são passíveis de acontecer? Você é mais forte do que pensa ser. Assimile os conceitos abordados. Você verá que em pouco tempo se sentirá melhor. Abra o registro de sua caixa d'água para que essa água barrenta saia e uma nova água entre. Só existirá espaço para a nova água quando a velha for retirada. Celebre as novas águas!

REGRA DOS 3

Pense nos dois momentos deste tema que mais te marcaram. Relembre esses momentos três vezes no decorrer do dia.

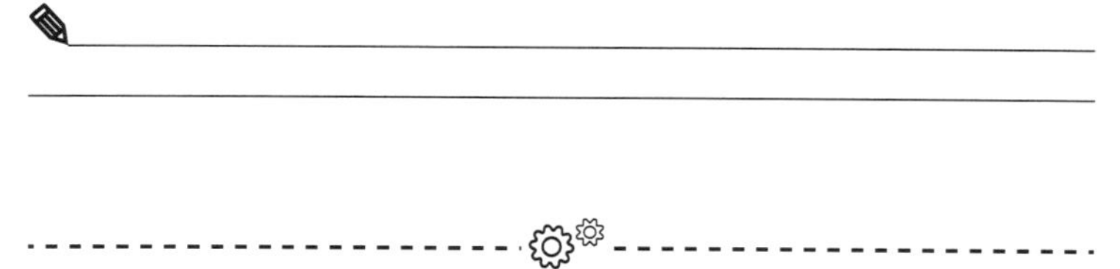

DESAFIO

As perguntas a seguir se referem às decepções que, todas as vezes em que são lembradas, geram sensações ruins.

Você está adiando a resolução desse problema?
( ) Sim (então pare de adiar, decida agir hoje mesmo)
( ) Não (então o que falta para a concluí-la de vez? Se ainda dói, decida perdoar. Vá ao encontro sobre perdão)
( ) Indiferente

Você contou sobre isso para todos saberem?
( ) Sim (é normal termos essa atitude porque queremos que os outros apreciem o que estamos sentindo ou, inconscientemente, para difamar quem nos decepcionou como punição ao que nos fizeram sentir. Não continue se expondo para todos)
( ) Não (procure uma pessoa de sua confiança ou um especialista e converse hoje mesmo. Se precisar, chore sem ter vergonha. Se não houver possibilidade, escreva em um papel a sua dor. Faça suas preces. Isso também ajuda terapeuticamente)
( ) Indiferente

Você divulgou em redes sociais?
( ) Sim (não repita esse erro. Muitas vezes podem ser indiretas inconscientes. Damos a justificativa de que apenas achamos tal postagem engraçada ou interessante. Isso pode ser um engano!)
( ) Não (realmente não vale a pena se expor)
( ) Indiferente

Você insulta os originários da sua decepção?
( ) Sim (o insulto pode ser a sua dor disfarçada de agressão. Decida hoje mesmo mudar o discurso para solução do problema. Se você diz que já tentou várias vezes, é melhor tentar novamente a repetir o insulto, até porque o insulto ofende e gera reação negativa e a tentativa de resolver o problema pode minimamente trazer mais calmaria para você)

( ) Não (mesmo que não insulte, o silêncio é muito passivo. Dirija-se a um possível diálogo. Foque na solução e não na dor. Seja forte!)
( ) Indiferente

DICA

Se houver a necessidade de um ressarcimento de algo, o caminho será buscar uma solução jurídica, o que não corresponde com a nossa temática.

9º ENCONTRO

CULPA E PERDÃO

A tragédia convertida em bonança

INÍCIO DO ENCONTRO ____/____/____ TAREFAS CONCLUÍDAS ____/____/____

A primeira ideia que se vem à cabeça quando se fala em culpa e perdão são as religiões. Esse é um princípio elementar em todas elas. Entretanto, veremos que esse assunto é mais científico e terapêutico do que parece ser. Você perceberá que isso pode ter atrapalhado a sua vida pessoal e profissional por décadas, porém, até o final desta leitura, você terá uma nova perspectiva e, certamente, coisas boas acontecerão.

Primeiro, precisamos entender sobre a mecânica da culpa. Ela é o resultado de um julgamento no qual o juiz recolhe todas as evidências referentes ao processo e, a partir das constatações, declarará o réu inocente ou culpado (isso dependerá da natureza do processo, pois a presença de um júri se fará necessário em determinados casos). Sendo o réu inocente, a vida segue normalmente. Se for declarado culpado, o réu terá que pagar uma pena por consequência da culpa. A culpa, na área do direito, é como se o réu contraísse uma dívida; no campo das emoções humanas não é diferente.

Como seus pais ou cuidadores te penalizavam na infância no momento em que você fazia algo que era dito para não se fazer? "Menino, não vá para a rua!". Você ia.

"Menina, não suba no sofá!". Você subia. Quais eram as penalidades? Poderíamos ficar de castigo sentados em algum lugar, levar uma surra, ficar sem o brinquedo predileto. Esse é o sistema de penalização que, desde cedo, aprendemos; ele fica introjetado em nós para a vida toda. Por isso que, quando fazem algo contra nós, às vezes desejamos fortemente que paguem pelo mal que nos fizeram. Se você deseja o mal de alguém, não necessariamente você é uma pessoa ruim. O seu sistema de penalização está gritando que aquela pessoa deve ser penalizada pelo erro que cometeu. Foi assim que você aprendeu a vida toda.

Agora, vamos mudar de ângulo. E se você erra? Conscientemente, tenta criar uma desculpa ou justificar-se, mas o seu inconsciente não é ludibriado. Ele sabe a verdade e, com isso, fará com que, de alguma forma, você seja penalizado pelos erros que cometeu. São as autossabotagens, muito faladas atualmente. Temos um encontro abordando exclusivamente esse assunto.

Como a penalização acontece? Quando a pessoa se sente culpada por alguma coisa, incrivelmente acabará se envolvendo em algo desagradável, podendo chegar ao caso, inclusive, de o organismo desenvolver alguma doença psicossomática; a pessoa poderá se atrair pela vida criminosa ou promíscua, poderá se isolar na solidão, tentar suicídio... Cada indivíduo reage de forma e complexidade diferente. Isso é o inconsciente penalizando pela culpa que se sente, pois já vimos que a culpa se comporta como uma dívida que contraímos. Tais eventos são formas psicológicas de quitar a dívida. No entanto, pelo ciclo da autossabotagem, a pessoa se envolve novamente em situação semelhante que a fará se sentir culpada outra vez, e, assim, o ciclo continua infindavelmente.

Vou exemplificar com uma cliente minha que nutria sentimento de culpa por consequência de ter sido abusada sexualmente na infância. Isso trouxe sérios problemas

> "O PERDÃO NOS DESOBRIGA A CONTINUAR CARREGANDO OS FARDOS QUE NOS ESCRAVIZAVAM PELOS NOSSOS ERROS DO PASSADO E DO PRESENTE."

de relacionamento interpessoal, profissional e dificuldade de se relacionar sexualmente com seu marido. Constatei que ela recordava claramente dos abusos e que, nessas lembranças atuais, gostava de ser acariciada nas partes íntimas. Ela sentia nojo todas as vezes que se lembrava do prazer pela prática. Uma simples orientação técnica mudou tudo. Expliquei que o fato de ter sido tocada na área erógena, inevitavelmente, faria com que ela sentisse prazer. É biológico. E que a atribuição de nojo que ela estava dando ao ocorrido não foi da criança inocente que vivenciou tudo, e sim da mulher adulta analisando a repugnância da prática. O nojo não era da criança. Em outras palavras, a adulta não deveria nutrir culpa pelo prazer que a criança experimentou, são discernimentos distintos. Ela compreendeu que o ódio que guardava do abusador era, na verdade, ódio de si mesma por se culpar pelo prazer sentido na época. Contudo, ela se libertou dessa culpa perdoando o abusador e, principalmente, se perdoando. A vida dela decolou! Ela havia carregado a culpa por décadas e um simples entendimento abriu seus horizontes. É isso que proponho a você ao abordar esse tema: a abertura do seu entendimento.

Até aqui verificamos juntos que existe o problema da culpa que sentimos, mas a pergunta de um milhão de dólares é: como se livrar dela? A primeira saída é o pagamento da dívida, basicamente o que falamos até agora. A segunda saída é a que nos interessa: o cancelamento da dívida ou da penalidade, que chamamos de perdão. No campo das emoções, vivemos pagando dívidas porque não temos o hábito de cultivar o perdão. A religião entende bem a força desse ato. O perdão nos desobriga a continuar carregando os fardos que nos escravizavam pelos nossos erros do passado e do presente. Muitos pagam pena por se sentirem culpados por terem sido filhos rebeldes, por terem prejudicado os outros, por não terem conseguido ajudar alguém que faleceu. Essa pena é paga diariamente como uma farpa cravada no pé de um andarilho. Se você é o causador, vá até a pessoa e resolva o problema. Peça perdão. Mesmo que a outra tenha a sua parcela de culpa. Faça a sua parte pela sua saúde emocional. Não espere que te procurem. Isso é apenas orgulho de nossa parte. O perdão paga inconscientemente a dívida existente. Assim, a necessidade de autopunição automaticamente se cessa, afinal houve absolvição no juízo da mente.

O perdão é libertador. Precisamos aprender a perdoar, não apenas pelos outros, mas por nós mesmos; quando perdoamos alguém, os maiores beneficiados somos nós. Entretanto, quem não consegue se perdoar, não conseguirá perdoar o outro e estará predestinado ao sofrimento, porque o caminho para perdoar o outro é o mesmo para o autoperdão.

O autoperdão é a única forma de se ver livre das amarguras do passado, não há outro caminho. Nem a religião pode ajudar alguém que não pratica o autoperdão. Nem Deus!

Muitos tentam punir o outro por meio da própria vida, isto é, tomam decisões prejudiciais para a saúde, relacionamentos e trabalho apenas para que seus fracassos entristeçam profundamente alguém que os ama, como forma de punição. Por exemplo, nutrindo a mágoa e o rancor. A meu ver, esses sentimentos não têm função agregadora. São sentimentos que sinalizam para o outro que algo não está bem resolvido em nós. A mágoa acaba sendo o resultado na raiva que sentimos, porém não permitimos que suas reações se expressem e nem damos uma solução adequada a ela, que nos deixa na condição de vítimas na visão do outro e de nós mesmos. É como se jogássemos no outro a responsabilidade por aquilo que nós estamos sentindo.

A mágoa e o rancor tiveram importância significativa em nossa vida infantil, talvez para mobilização dos pais ou daqueles que estavam nos penalizando, para que não nos fizessem mal – com ela, conseguíamos "misericórdia". Expressar o rancor é praticamente uma tentativa de provocar sentimento de culpa no outro: "Olha só o que você fez comigo! Olha pelo que estou passando! Você é o responsável por isso!".

Há casos de pessoas que tentam o suicídio na intenção inconsciente de que os outros sofram pela ausência delas e sintam-se eternamente culpados porque não deram a devida atenção ao que elas expressavam quando estavam vivas ou pela dor que sentiam. Logo, quem tenta se matar, na verdade tenta apagar definitivamente a dor da alma. Quem deseja se matar, no fundo, deseja "se viver". Evidenciamos também que muitos entram inconscientemente em estado de profunda tristeza na necessidade de atrair a atenção.

Muitos jovens se envolvem com drogas ou com coisas que desagradam os pais simplesmente para trazer grande dor e tormento a eles como forma de punição. Esses atos não necessariamente são conscientes.

Muitos não conseguem melhorar financeiramente porque podem se culpar por sentirem que não merecem aquilo. O fato de não ter estudado pode fazer a pessoa sentir-se culpada em melhorar a vida, afinal ela acredita que não merece. Você já deve ter percebido que alguns assuntos abordados neste livro se correlacionam: neste caso, vemos autossabotagem nas questões de sentimento de culpa.

A única forma de dissolver esses arranjos emocionais é pelo perdão. Refiro-me ao autoperdão e ao perdão aos outros. Reter mágoa só trará malefícios ao magoado e, como se costuma dizer, não perdoar é como engolir veneno na intenção de que o outro morra; é como segurar uma brasa viva na intenção de que o outro se queime.

Não caia na armadilha do perdão sentimental. Perdoar é decisão e não tem nada a ver com sentimento. O ato de perdoar é instantâneo, mas a dor sentida não será necessariamente removida na hora. Isso acontecerá com o passar do tempo. Primeiro, você decide perdoar. O sentimento de mágoa é apenas uma moeda de manipulação que aprendemos a usar desde criança. Simplesmente decida perdoar e, aos poucos, a mágoa será dissolvida.

REGRA DOS 3

Pense nos dois momentos deste tema que mais te marcaram. Relembre esses momentos três vezes no decorrer do dia.

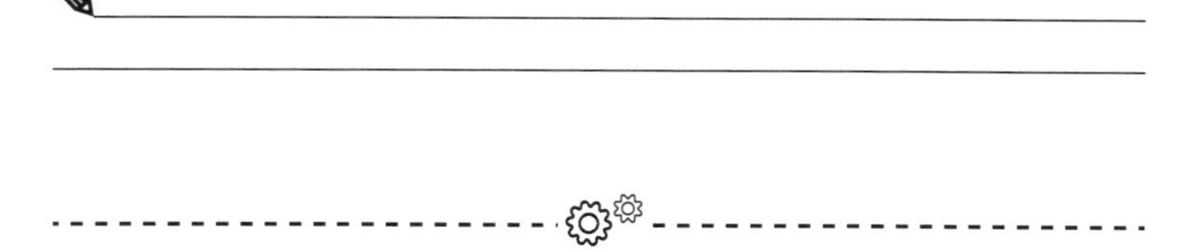

DESAFIO

1. Liste mentalmente cinco benefícios que você ganha ao ficar magoado (não vá ao próximo item até que conclua a lista).
2. Liste mentalmente cinco benefícios que você ganha ao deixar de perdoar (não vá ao próximo item até que conclua a lista).

DICA

Acredito que você não tenha conseguido concluir o exercício porque não identificou benefícios na mágoa. É isso que eu queria que você entendesse. Você já acaba de cumprir o desafio. A mágoa é "má água", é água ruim retida. Não vale o sacrifício inútil de manter essas emoções ruins. E se eu não perdoo ou não falo com a pessoa, é a forma perfeita que posso ter encontrado para punir o causador dessa mágoa. É como se eu dissesse "Não fale comigo! Não dirija a palavra para mim porque estou excluindo você do meu mundo, estou privando você da minha amizade. Você precisa aprender que a vida não é assim. Quero mais que você se dane!".

Repare detalhadamente que o teor de cada uma dessas afirmações é punitivo. Muitas dessas afirmações que fazemos ao outro, na verdade, queríamos fazer a nós mesmos. Não perca tempo, se perdoe! Se perdoe!

10º ENCONTRO

SOLIDÃO

O vazio da alma

INÍCIO DO ENCONTRO ____/____/____ TAREFAS CONCLUÍDAS ____/____/____

Solidão pode ser entendida como uma percepção de isolamento social. A pessoa imagina, tem a impressão de que está só, mesmo que não se encontre fisicamente isolada. É algo mais ligado à percepção, portanto, não devemos confundir a solidão com o estar só. Há pessoas que estão rodeadas de gente e, no entanto, têm forte sentimento de solidão.

A solidão é o vazio da alma. É algo que acontece no interior do indivíduo, como uma ruptura que transvaza para todo o exterior. A impressão é que se cria um campo de força imaginário, e mesmo os que estão dentro desse campo não conseguem se sentir indivíduos participantes dele.

A solidão traz profundo enfraquecimento do eu, o que pode fazer com que criemos dependência das pessoas. Quando isso acontece, o indivíduo só se sentirá completo se estiver rodeado por essas pessoas. E se elas não estiverem por perto, ele sentirá um desequilíbrio interior. Esse desnível é a sensação que será interpretada como vazio, que produzirá outras emoções negativas que fortalecerão o sentimento de solidão.

Nossa gestação é solitária, morreremos solitários e, entre esses dois períodos, haverá diversos momentos em que também estaremos sós. Isso não significa que estejamos ocultos no mundo. Contudo, o ser humano não foi criado para viver só, e sim para interagir e criar vínculos afetivos. Muitos se isolam arbitrariamente por julgarem que não precisam de ninguém, criam uma falsa expectativa de felicidade que, certamente, não encontrarão. Ninguém consegue ser pleno sozinho. "Não é bom que o homem viva só" (Gênesis 2:18).

Muitos que experimentaram na infância rejeição por pessoas com simbologia de autoridade em suas vidas, como pais e avós, trilham pelo caminho da vida isolada. E, por considerarem insuportável a dor de serem rejeitados, não pretenderão experimentá-la novamente. Nesse caso, poderão optar por não gerar vínculos com outras pessoas ou evitarão ao máximo contato e aproximação.

Pessoas assim, geralmente em um momento de briga com um namorado ou um pretendente, tomarão a iniciativa de acabar com o relacionamento, afinal, dessa forma, não experimentarão novamente a rejeição. Em outras palavras, é muito melhor rejeitar a ser rejeitado. Se eu te rejeitar, não passarei pela dor de ser novamente rejeitado.

A insegurança é outra produtora de solidão. Geralmente, essas pessoas dizem coisas como "Eu não sirvo para nada! Nada dá certo para mim! A vida de todos anda e a minha não!". Complexo de inferioridade, vergonha e timidez também são ótimos contribuintes para a exclusão social. Muitas pessoas sofrem com o medo da crítica. Se ninguém a estiver vendo, não haverá motivos para criticá-la. O ambiente novo ou diferente também é visto como facilitador da solidão, pois cria a forte sensação de se ser um peixe fora d'água e, consequentemente, facilita o isolamento.

Algumas pessoas não conseguem se imaginar fisicamente sós, porque, na mente delas, o sentimento de solidão e o fato de estarem fisicamente sozinhas são a mesma coisa – e já aprendemos que são coisas distintas. Assim, morrem de medo de sentir a dor da perda. Por exemplo, de o marido trocá-la por outra mulher ou de a esposa abandonar o marido por outro homem. O mesmo exemplo pode ser empregado para namorados. Isso mantém muita gente refém de traições, de engolir grosserias, justificando e mascarando tudo isso com "eu o amo". O medo de experimentar novamente a perda tem feito muitos viverem com vista grossa.

O eu fragilizado procura no outro aquilo que falta nele. O indivíduo do eu fragilizado pode escravizar-se no cônjuge, em filhos, em animais de estimação. Muitos terapeutas recomendam às pessoas solitárias que adotem um animal de estimação. Isso é maravilhoso por ajudá-las na expressão das emoções, porém alguns mergulham o animalzinho em suas carências de tal forma que passam a viver em função dele. Isso não é saudável no que tange à saúde emocional. Pessoas com o perfil de sofrer na solidão podem se assemelhar a marionetes psicológicas nas mãos dos outros porque podem abnegar sua própria vida para viver a vida desse outro. Se este for embora, será como o fim do mundo. Praticamente, levará seu coração junto. Não porque ela tenha furtado literalmente o coração, mas porque foi deliberadamente entregue. É possível que essa pessoa entre em profunda solidão.

Uma conhecida minha me confidenciou sobre a grande admiração, o amor e o carinho que nutria por um membro de sua família. Segundo ela, ficará completamente sem chão no dia em que o perder. E é verdade! Ficará sem chão! Porque a pessoa depositou todo o seu eu no outro, criou uma dependência, e há muita gente confundindo amor com dependência afetiva. O amor está ligado ao doar e não ao reter. A retenção, o "é meu" é prerrogativa da paixão. Cabe um alerta importante. Muito cuidado para quem você tem entregado o seu coração, pois essa pessoa poderá brincar com você e talvez você pense que, se perdê-la, não conseguirá mais viver. Lembrando que não falo

> **"A INTERNET TEM SIDO UM ÓTIMO RECURSO PARA FAZER COM QUE AS PESSOAS FUJAM DE SI MESMAS."**

só de relacionamentos amorosos. Os familiares, os amigos e as dependências profissionais também podem ser usados como exemplo.

A solidão traz prejuízos para a saúde. Ela ajuda no enfraquecimento do sistema imunológico, responsável por assegurar as defesas do organismo e por ajudar a manter o corpo funcionando e protegido contra as doenças. A solidão viabiliza o surgimento de transtornos de ansiedade, depressão e abre portas para outras doenças de maiores complexidades. Foi comprovado que idosos que vivem na solidão têm mais propensão a morrer mais rápido.[2]

O primeiro passo para você lidar com o sentimento de solidão é o autoconhecimento, ou seja, esta simples leitura te ajudará a se entender melhor nesse aspecto. Aprenda a separar o sentimento de solidão do isolamento físico real. Tente se envolver em atividades que tenham interação com várias pessoas.

Fazer cursos presenciais, uma partidinha de futebol, frequentar a academia, participar de danças de salão são apenas algumas sugestões dentre tantas atividades que você poderá fazer. Qualquer coisa que te tire do padrão de solidão fará você se sentir melhor e mais arejado. A internet é um ótimo recurso para isolar as pessoas, portanto, dê um descanso a ela e procure atividades presenciais. Olho no olho, toque, sorriso, abraço. Na internet, você não faz nada disso e, infelizmente, tem sido um ótimo recurso para fazer com que as pessoas fujam de si mesmas.

---

2. Ver: oglobo.globo.com/sociedade/saude/solidao-aumenta-em-14-as-chances-de-idosos-morrerem-de-forma-prematura-11609030.

Se entender que o estar só não significa amargar em solidão, você poderá até aproveitar os bons momentos desfrutando da sua própria companhia. Uma amiga me apresentou um conceito que pode fazer toda a diferença em nossa compreensão deste assunto. A palavra é "solitude".

Estar fisicamente só não significa nada além de apenas alguém só. O que muda tudo é a atribuição sentimental que aplicamos ao estar só. Se eu me sinto muito mal em estar só, então eu experimento solidão. Se eu me sinto muito bem em estar só, nesse caso, eu experimento solitude. Note que a circunstância é a mesma, apenas a interpretação psicológica que muda. Você tem duas saídas. Solidão ou solitude. Qual escolha você prefere?

Solidão não se cura com amor depositado em outra pessoa, se cura com o amor-próprio.

REGRA DOS 3

Pense nos dois momentos deste tema que mais te marcaram. Relembre esses momentos três vezes no decorrer do dia.

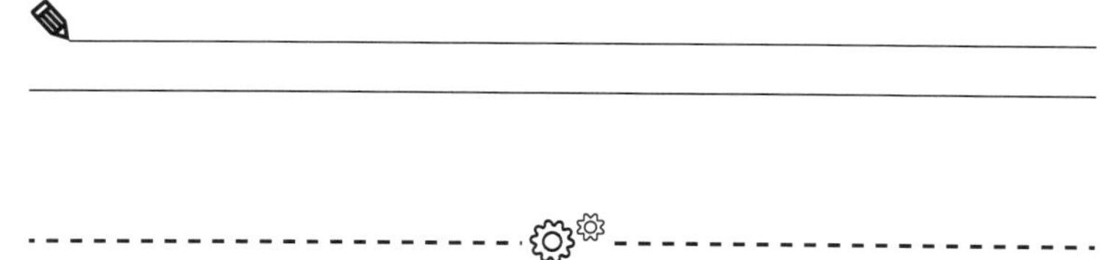

DESAFIO

1. Não deixe para depois. Tente agendar agora mesmo uma atividade social. Contate amigos e marque algo. Preferencialmente, já deixe de sobreaviso uma data ou uma atividade.

DICA

- Crie oportunidades para fazer vínculos e formar novas amizades. Você consegue isso se entrar em contato com as mesmas pessoas periodicamente. Por exemplo, em um curso, na academia, na igreja, praticando algum tipo de esporte. Esses foram alguns exemplos de locais onde você conseguirá fazer novas amizades e criar vínculos.
- Cuidar de animais de estimação como forma de método terapêutico tem se mostrado muito produtivo. Pense na possibilidade de adotar um animal de estimação. Quem sabe não trará novas alegrias para o seu lar e para a sua vida.

11º ENCONTRO

PERDA DO GRANDE AMOR

A ferida que dói sem dizer sua origem

INÍCIO DO ENCONTRO ___/___/___ TAREFAS CONCLUÍDAS ___/___/___

Amor é fogo que arde sem se ver,
é ferida que dói, e não se sente;
é um contentamento descontente,
é dor que desatina sem doer.
Luís Vaz de Camões

Você já sentiu a sensação de que o mundo se acabou quando aquela pessoa se foi? Que a vida perdeu todo o sentido porque tudo parece que chegou ao fim? Surpreendentemente, quando pensamos que tudo acabou, pode ser exatamente a grande porta que nos conduzirá para um recomeço triunfal com maiores patamares de realizações.

É fácil falar da dor alheia. Só quem está submerso na dor sabe o que suporta, muitas vezes sofrendo calado para que ninguém perceba o que está vivenciando; mas as pessoas ao nosso redor captam que algo anda errado, mesmo que não externalizem.

Se você bater com o seu braço em algum lugar, saberá o porquê e o local da dor do choque; se você se cortar em um caco de vidro, também saberá onde está a dor; caso sinta um incômodo na sola do pé, você presumirá que há uma farpa ali causando a dor. E a dor na alma? Como identificamos? Aí fica mais difícil. A pessoa com a dor da perda de um amor só sabe que dói e dói... Mas ela não sabe onde nem o que está doendo. Como descrito no poema de Camões, você sabe que dói, mesmo que não haja uma ferida física para doer: "É ferida que dói e não se sente". E quanto maior o amor, maior será a possibilidade de sentir dor. Em um estudo intitulado *O mal-estar na civilização*, Sigmund Freud enfatizou que uma pessoa se coloca na condição de sofrimento quando está amando.

Vou aguçar suas ideias te mostrando algumas causas que levam dor e sofrimento àqueles que perderam um grande amor. Se você for ao médico com a queixa de uma dor, ele te examinará e fará alguns exames para identificar sua origem. De igual modo, se identificarmos a dor na alma, ficará mais fácil a tratarmos. Você precisa identificar a origem, caso contrário, será como um bebê que chora copiosamente enquanto seus pais ficam desesperados tentando entender o porquê do choro.

Permita-me esclarecer que essa dor pode ser proveniente da separação de namorados ou cônjuges que, após tantos anos juntos, desfazem a relação; pode ser por uma mudança na qual a pessoa amada vai para outro estado ou país, o que causará dor pela falta; um episódio em que, após tantos anos vivendo juntos, ele ou ela venha a falecer. Inclusive, os contos de fadas finalizam dizendo: "foram felizes para sempre", mas esqueceram de nos dizer o que vem depois do sempre. Há casais que vivem juntos há trinta ou quarenta anos e, quando a morte os separa, geralmente quem permanece vivo inicia o processo de dor e, caso não a supere, talvez jamais consiga recuperar a felicidade até o fim de sua vida. Vamos, então, identificar e tentar entender as dores que um relacionamento pode causar.

Uma delas é a dor do desvínculo. No relacionamento, tudo será construído pautado nos interesses do casal.

Cada um tem a sua história de vida e, quando se unem, vão equacionando seus estilos, afinal, são duas histórias diferentes iniciando a construção de uma unicidade. Emocionalmente, podemos dizer que essa fusão é um vínculo. O casal é envolvido e vinculado um ao outro, física e emocionalmente. Se não há vínculo no casamento e cada um vive por si, são apenas pessoas casadas vivendo como se fossem solteiras. Por isso, os solteiros que prezam pela liberdade e não gostam de dar satisfações a ninguém devem repensar se realmente pretenderão se casar.

A dor do desvínculo surge quando o outro simplesmente se vai. O vínculo se quebrou e você fica completamente perdido porque construiu sonhos ligados à outra pessoa. Por isso, nos seus afazeres, nos acontecimentos do dia a dia, nos momentos, nos lugares, tudo trará lembranças da pessoa que se foi. É preciso retomar urgentemente as rédeas da sua vida, conscientizando-se de que agora você está só. Se você alimentar repetidamente pensamentos do tipo "ah, quando ele estava aqui..." ou "ah, quando ela estava comigo...", sabe o que vai acontecer? Você prolongará o sentimento de vínculo – que pode perdurar por anos – e ainda corre o risco de não se desvincular jamais. Isso dá uma falsa sensação de que você não deixou de amar o outro, mas pode ser que simplesmente não houve perda do vínculo emocional que liga você a essa pessoa. A separação precisa acontecer simultaneamente de duas formas: corporal e emocionalmente, caso contrário, alguém sofrerá. Se a separação corporal acontecer, e não a emocional, a dor será prolongada pela falta física. Caso ocorra o contrário, serão dois estranhos debaixo do mesmo teto ou apenas dois amigos. Por incrível que pareça, é imensa a quantidade de casais que dormem em camas separadas ou que dormem na mesma cama sem a presença de toque ou intimidade. Corpo e emoção devem estar alinhados. Caso não estejam, podem causar sofrimento, e não necessariamente sofrimento do casal; pode ser nos filhos, por exemplo, que acompanham tudo desde cedo e talvez nunca conseguiram entender os motivos desse processo. Futuramente, poderão ser os próximos problemáticos no matrimônio.

Já ouviu o ditado que diz "só curamos um amor com outro amor"? Não é que um novo amor cure o anterior, o que acontece é que novos vínculos se formam. Novas expectativas florescem e, consequentemente, amenizam os vínculos antigos, mas eles ainda estarão lá. Por isso que muitos casais, tempos após a separação, retomam seu relacionamento, porque os vínculos antigos se revitalizaram. Em um novo relacionamento, diversos eventos podem te lembrar do relacionamento antigo. Isso é normal, porém, por não entenderem bem essa fase, algumas pessoas chegam ao ponto de jurar que ainda são loucamente apaixonadas e presas emocionalmente ao relacionamento antigo. Você sabia que o desejo avassalador de estar com a pessoa e a falta que ela faz estão ligados à mesma parte do cérebro em que age a cocaína? Você pode ter se viciado no amor antigo. Aprenda a dar tempo ao tempo. Permita que vínculos novos ganhem vida!

Se você estiver passando pela fase de dor da perda, poderá migrar essa energia para o seu trabalho, para a prática de um *hobby*, se dedicar a um parente próximo ou aos seus estudos. Essas ações te ajudarão a reforçar outros vínculos e criar conexões. Ficar ocioso é a pior das alternativas porque a mente vagando livremente te levará a pensar naquilo que tem sido o objeto da dor.

Outra dor muito evidente é a da decepção. Temos um encontro inteiro falando disso (8º Encontro). Sugiro que você o leia, caso não tenha feito ainda, porque lá expliquei detalhadamente sobre a realidade que não corresponde com as nossas expectativas. Nesse caso, seria o amor não correspondido. Se você não recondicionar internamente esse acontecimento, colherá os frutos da decepção, como a amargura.

A dor dos sonhos frustrados é outra recorrente. O sonho do "felizes para sempre", do envelhecer juntos, da construção de bens, enfim, o sonho de família constituída. Não aprendemos a separar sonho de sonhador; por esse motivo, quando a pessoa vai embora, parece que todos os nossos sonhos se foram junto. Parece que a pessoa em si é a própria felicidade.

Uma conhecida minha estava muito mal com o término do seu relacionamento pelo grande amor que sentia. Observei que ela usava muito a palavra coração e, para um bom psicanalista, certas expressões são trunfos valiosos porque podem ser justamente onde a raiz do problema se oculta. Eu sugeri o seguinte exercício: sempre que a lembrança dele vier a sua mente, crie uma imagem na qual você toma das mãos dele de volta o seu coração; mentalmente, você dirá "Você pode ir, mas o meu coração fica comigo". No final do mesmo dia, ela me ligou agradecida: "Bronísio, que mágica é aquela? Repeti várias vezes o exercício conforme você me orientou e já estou me sentindo bem melhor!". Eu recomendei que ela continuasse, porque a imagem carregada de emoção impressiona o eu e, de certa forma, a coloca no controle da situação, uma vez que a mente não diferencia a imagem real da imagem pensada. No caso dela, o coração tinha uma carga simbólica muito forte de amor. A conclusão é que o maior problema não era a partida do seu "namorido", e sim o fato de ele ter levado o seu coração com ele.

"NÃO APRENDEMOS A SEPARAR SONHO DE SONHADOR; POR ESSE MOTIVO, QUANDO A PESSOA VAI EMBORA, PARECE QUE TODOS OS NOSSOS SONHOS SE FORAM JUNTO."

Outra dor que muitas pessoas sofrem em decorrência da perda do amor é a do arrependimento. Quando há grande dedicação ao outro, apoio nas decisões, ajuda nos planejamentos, inclusive apoio familiar ou financeiro, você percebe que foi tudo tempo perdido e que não te deram um pingo de valor. Você se questiona, se julga como uma pessoa boba, idiota. Se você olhar por outro ângulo, essa pessoa poderia não te merecer. O melhor a se fazer é sacudir a poeira e dar a volta por cima.

Há ainda aqueles que se penalizam pela partida do outro, dizendo: "A culpa é minha! Eu não dei valor enquanto estava comigo!". E isso, de fato, pode ser verdade. Você podia nutrir tanta convicção de que a pessoa estava na sua mão que você pisava nela, a maltratava e não cuidava dela. Infelizmente, ela se foi e você está chorando. Se isso aconteceu, cabe a você rever seus conceitos e transformar essa experiência em aprendizado. Em vez de chibatar seu próprio corpo, converta esse pranto em ação prática. Pode começar pedindo perdão se houve ofensas. "Mas, Bronísio, a pessoa também me ofendeu!". Eu sei, mas faça a sua parte, porque o sofrimento que precisa ser aliviado é o seu. Reflita sobre as coisas erradas que você fez, se esforce para não repetir comportamentos negativos em relacionamentos futuros. Valorize mais. Praticamente, posso te ouvir dizendo que "quem dá valor só se prejudica", mas nem sempre é assim. Há, realmente, pessoas que não merecem o nosso valor; se a pessoa que se foi não merece seu valor, você deveria ter estado com ela? E por que derramar lágrimas por ela?

Algumas vezes a dor não é nem pela perda da pessoa, mas pelo sentimento de rejeição por terem te trocado por outro alguém. O desespero vem da sensação de humilhação e de abandono. A grande verdade é que alguns não aceitam perder; como a vida é um jogo, perder faz parte. A perda deve gerar aprendizado e não revolta. Há quem diga: "Ela vai voltar para mim por bem ou por mal". Note que não é o amor que está em jogo, e sim o resgate da honra em retomar o que se perdeu. Está errado! Alguns ficam tão obstinados que apelam para a ajuda religiosa, simpatias, trabalhos de feitiçaria, correntes de oração, e não percebem que, se houver o retorno do relacionamento, não será por amor. Qual o bem em ter ao seu lado uma pessoa submetida a encantamento? Concorda que isso é egoísta? Afinal, estou preocupado comigo e em ter, a todo custo, a pessoa do meu lado, sem dar a ela a opção espontânea de concordar em estar comigo.

A dor da dúvida é outro transtorno no qual a pessoa fica em cima do muro: "Volto atrás dele ou não volto? Dou uma nova chance para ela ou não dou?". A princípio, todos merecem uma segunda chance. Entretanto, essa chance, junto com terceira ou quarta, fica a critério de cada pessoa em aceitar ou não. Outro caso que vai diferir de pessoa para pessoa é o limite de aceitação, como ocorre a segunda chance que é dada em casos de traição (apesar de poder despertar a desconfiança de futuras traições e, com isso, trazer severas cobranças). Ficar em cima do muro gera uma dor desnecessária. É melhor dar a chance sabendo que poderá se arrepender lá na frente (apesar de que pode não se arrepender também) a ficar se corroendo pela dúvida. Já imaginou, após tantos anos, você olhar para trás e pensar: "Eu poderia ter dado outra chance. Talvez eu estivesse feliz com ele/ela agora!"?

A somatização é a canalização da dor da alma para o corpo. Quando a dor é profunda, algumas reações fisiológicas podem acontecer, como abaixar a imunidade, e nosso corpo, quando desguarnecido, pode adoecer, desenvolver algum transtorno emocional mais sério. Nada disso ocorre por causa da separação em si, mas pela dor que a pessoa sentiu e não escoou para lugar nenhum, canalizou para o corpo. Por isso a importância de um suporte terapêutico.

Esses foram exemplos dos mais rotineiros que compilei para que você possa ter uma base e saiba identificar a origem da dor. Agora você já enxerga que existe uma dor e de onde ela pode estar se originando. Obviamente, quem sente dor de cabeça tomará analgésico e não antitérmico. Saber de onde a dor se originou nos ajuda a agir com mais sabedoria. Essas ações funcionam como efeito analgésico para a alma.

Veja três comportamentos equivocados que as pessoas que experimentam a dor da perda pensam: elas pensam que, após sofrer essa dor, quem aparecer posteriormente na sua vida também as fará sofrer; pensam que, nos relacionamentos futuros, qualquer atitude que tenha semelhança com coisas do passado deverá ser atacada; e dizem que não querem mais saber de ninguém (obviamente, isso é medo de repetir sofrimento).

Nosso objetivo não é esgotar o assunto e, muito menos, teorizar demais. O foco é trazer um norte para te ajudar a desvencilhar-se da dor, que muitas vezes custa a cessar. Não deixe o veneno do passado paralisar o seu futuro.

Destaco que essas ações são pertinentes ao relacionamento que realmente acabou. Caso haja possibilidade de retorno, repense. A separação deve ser o último recurso.

REGRA DOS 3

Pense nos dois momentos deste tema que mais te marcaram. Relembre esses momentos três vezes no decorrer do dia.

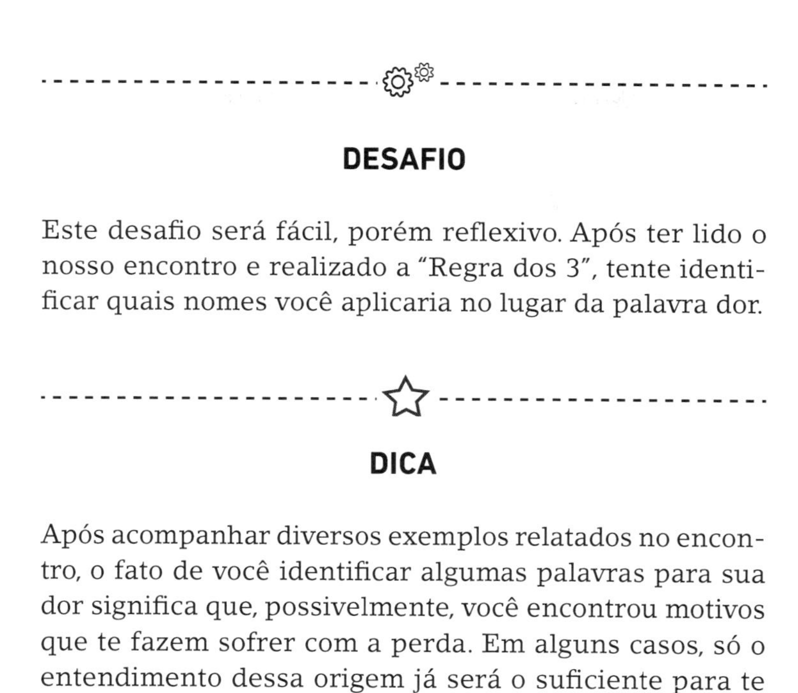

DESAFIO

Este desafio será fácil, porém reflexivo. Após ter lido o nosso encontro e realizado a "Regra dos 3", tente identificar quais nomes você aplicaria no lugar da palavra dor.

DICA

Após acompanhar diversos exemplos relatados no encontro, o fato de você identificar algumas palavras para sua dor significa que, possivelmente, você encontrou motivos que te fazem sofrer com a perda. Em alguns casos, só o entendimento dessa origem já será o suficiente para te trazer alívio.

12º ENCONTRO

SUPERAÇÃO DO TRAUMA DE AMAR

As portas abertas para o recomeço

INÍCIO DO ENCONTRO ___/___/___ TAREFAS CONCLUÍDAS ___/___/___

É difícil conceituar o amor. Se perguntar a alguém: "Você me ama?", fica difícil saber que tipo de resposta você quer ouvir por trás do "sim". O amor tem dimensões e interpretações diferentes. Uma delas é o Ágape, de origem grega. É o amor doador e de entrega incondicional. Esse é o amor que se expressa aos cônjuges, aos familiares, às atividades como trabalho, artes etc. É o tipo de amor também conhecido como amor divino (pelos feitos à humanidade sem esperar nada em troca).

O amor Fileo ou "philia" é o fraternal. Está relacionado à amizade, ao companheirismo e à lealdade entre amigos e irmãos. Inclusive, é de onde se originam os termos filantropia (amor humano), filosofia (amor ao conhecimento), filofobia (medo de amar), entre outros.

O amor Eros, ao contrário do que muitos pensam, não tem apenas conotação de amor romântico ou ao desejo sexual. Em uma das preleções do filósofo Clovis de Barros Filho, ele disse: "Amamos enquanto desejamos. A má notícia é que, quando o desejo acaba, é porque o amor acabou também, porque amor é desejo, é falta". Ele enfatiza o amor platônico como Eros, o desejo pelo que não se tem. E quando se passa a ter, o desejo muda. Freud chamou Eros de pulsão de vida.

Filósofos da Grécia antiga, como Sócrates, Platão e Aristóteles, falavam desses "amores". Nos textos dos cristãos no Novo Testamento, há diversas menções a essas definições.

Há um livro (o qual recomendo) intitulado *As cinco linguagens do amor*, de Gary Chapman. Ele defende que a percepção de amor é diferente de pessoa para pessoa, ou seja, alguém pode expressar amor por você e você não ver essa expressão como amor; do mesmo modo, você pode manifestar amor por esse alguém e ele também não perceber essa manifestação como amor.

Vou dar um exemplo: imaginemos um casal em que, para um, o amor esteja nas belas palavras ditas e, para o outro, se exprima com toques afetuosos. O que fala coisas bonitas tende a achar que está dando o seu melhor quando faz um elogio; porém, aquele que ouve pode interpretar as palavras como algo vazio, porque a sua linguagem de amor seria com um abraço, um carinho... Isso é o suficiente para criar um enorme desajuste por um achar que o outro não o ama e/ou o ignora. O amor pode estar simplesmente acontecendo em esferas diferentes.

Você já ouviu falar no termo pistantrofobia? É um termo usado na psicologia para o medo injustificado de se confiar em alguém devido a traumas ou experiências negativas do passado. O primeiro ponto que vemos na definição é a dificuldade de confiar no outro, o que pode estar diretamente ligado à falta de confiança que temos em nós mesmos. Se eu não consigo confiar em mim, não conseguirei confiar nos outros. Minhas baixas autoestima e autoimagem distorcida poderão influenciar a visão que terei do outro. Por isso é tão importante aprendermos a ouvir o que os outros pensam a nosso respeito, porque nem sempre temos a real ideia de que imagem estamos passando. Se você tem o hábito de dizer que não se importa com o que dizem a teu respeito, estará perdendo grande chance de aperfeiçoamento. O problema é que a verdade pode ser tão insuportável para nós a ponto de nos rebelarmos atacando quem nos critica, expondo seus defeitos. Em outras palavras: "quem é você para tocar na minha ferida? Olhe só para você também...!".

Muitos têm dificuldade de confiar no outro por achar que este comete os mesmos "delitos" que ele. Por exemplo, o homem que trai terá grande tendência de ser ciumento porque pode pensar que as outras pessoas fazem o mesmo. Pessoas que mentem tendem a achar que os outros mentem, o que naturalmente enfraquece a confiança.

Nos dias de hoje, praticamente tudo é superficial e imediatista. Tenho tios casados há mais de quarenta anos, e acredito que essa situação será cada vez mais nas gerações vindouras. Vivemos na era do "a fila anda". Por que se tornou tão difícil solidificar relacionamentos nos dias de hoje?

Um dos motivos pode morar no nosso histórico de vida. Se você foi abandonado por pessoas importantes para você, ali mesmo se inicia uma forma de pensar: "Não devo confiar nos outros!". Por exemplo: uma pessoa deixada pelo pai terá extrema dificuldade para assimilar até mesmo Deus como pai; esse sentimento pode se intensificar com as pessoas que são falhas e nos deixam diversos sinais de que, a qualquer momento, poderão trair nossa confiança.

Temos uma tendência de pegar nossas experiências do passado e transformá-las em empecilhos para o futuro. O passado não tem por origem o objetivo de nos bagunçar ou traumatizar, mas é o que acaba acontecendo em nosso entendimento. Então, para que trazemos conosco as lembranças? Para mantermos um histórico de nossas vivências. Quando eventos semelhantes aos vivenciados no passado se repetirem em nossas vidas, saberemos agir com mais assertividade. O que antes deu errado não necessariamente dará errado agora, porque as vivências dos erros podem implementar novas estratégias para que o resultado seja o esperado. Isso quer dizer que, se o segundo erro ocorreu após você ter analisado o primeiro e criado ações para ele não repetir, tudo bem! É apenas um sinal de que as ações não foram suficientes. E se o terceiro erro ocorrer após as ações do primeiro e do segundo não terem sido suficientes, mesmo assim você está no caminho do aperfeiçoamento. O inaceitável é errar várias vezes sem nada fazer diante disso. Em outras palavras, errar duas vezes não é burrice, exceto se as tentativas não forem acompanhadas de mudanças para tentar diminuir as falhas e mudar o resultado. Isso seria um sinal de que a inteligência não foi posta em ação. É exatamente o que diz aquela famosa citação que atribuíram a Albert Einstein (particularmente, penso que não seja dele): "A definição de insanidade é fazer a mesma coisa repetidamente e esperar resultados diferentes". Não permita que o histórico frustrado de vida amorosa determine novos fracassos ou paralise novas tentativas. Seja estratégico com as experiências adquiridas nos relacionamentos passados e vá em busca dos próximos níveis de excelência no amor.

Certamente iremos sofrer no decorrer da nossa vida. Seja no amor, nas amizades, na família ou em outros tipos. Se entendermos bem essa lição, no dia em que o inesperado acontecer, o impacto será menor.

Interesses ocultos também podem fazer com que pessoas evitem relacionamentos. Conheço um caso em que o cliente possuía muitos bens e propriedades de milhões. O medo dele era de se casar e depois se ver em um divórcio tendo que dividir tudo aquilo que havia conquistado com tanto esforço.

A dificuldade de readaptação ao relacionamento também poderá ser um motivo para não se buscar um novo amor. O solteiro se acostuma em não dar satisfação para ninguém, se relaciona sem compromisso e faz o que der vontade sem as naturais cobranças que um relacionamento traz. Iniciando um namoro, esses comportamentos não poderão continuar e a dificuldade de desapegar dessa liberdade afasta de alguns a possibilidade de construir um novo amor. Compilei essas possibilidades como forma de ajudar você a ampliar seu entendimento; agora, mostrarei algumas possíveis soluções.

Primeiro, é preciso definir bem o que você quer para a sua vida. Lembro-me de uma moça que me disse: "Eu quero conhecer um cara legal e gente boa!". Mas o que é um cara legal? E o que é gente boa? É muito superficial e vago. Igual ao homem que pretende conhecer uma mulher interessante. Interessante como? Corpo bonito? Alta ou baixa? Gordinha ou magrinha? Ajude a sua mente a te ajudar! Seja específico com seus gostos porque isso ajudará a sua mente a colocar possíveis parceiros (as) no seu radar. Defina o estilo de ser, tipo de corpo, nível intelectual e tudo mais que te agrada em uma relação. Você perceberá que tudo aquilo em que focamos realmente se expande. Certa vez, me chamou a atenção uma peruca vermelha que vi. Percebi que, a partir daquele momento, comecei a ver várias pessoas com cabelo vermelho na rua, na TV, nas redes sociais. Óbvio que todas essas pessoas de cabelo vermelho já estavam lá, mas o fato de eu ter focado anteriormente como algo atípico fez com que meu radar da mente passasse a destacar, entre milhões de informações visuais, exatamente os cabelos vermelhos. Faça um teste e comprove. Fixe por alguns instantes em qualquer objeto e perceba como outros semelhantes começarão a saltar diante dos seus olhos. Assim também acontece no relacionamento. Quanto mais específico formos com as nossas preferências, maiores as chances de enxergarmos as pessoas conforme previamos ou o mais aproximado possível. Isso não significa, obviamente, que você não se interessará por alguém que esteja fora do perfil traçado.

Sabemos que o amor não surge de um dia para o outro, mas temos que nos manter firmes. A sociedade atrapalha um pouco dizendo "Você está escolhendo demais!" ou "Vai ficar para titia!". Realmente, se para alguns o trauma é de procurar um novo amor, para outros o trauma é de morrer sozinhos. Lembre-se de que relacionamentos fora de tempo ou sem propósitos definidos podem indicar novos traumas para futuros. É melhor aguardar a se desesperar. Entre o trauma de amar e a conquista de um novo amor, há um espaço chamado tempo, e este deve ser preenchido com sabedoria. Quem sabe esse espaço seja o período em que você deva se preparar, se estruturar financeiramente e se fortalecer emocionalmente? Antes de encontrar alguém, trate de se encontrar.

> **"ANTES DE ENCONTRAR ALGUÉM, TRATE DE SE ENCONTRAR."**

Outro aspecto que precisamos ter em mente é onde procurar um grande amor. Muitos procuram a pessoa certa nos lugares errados, por exemplo em um boteco ou nas baladas da vida. Por mais que haja pessoas com boas intenções nesses lugares, a probabilidade de esbarrar nelas é mínima por causa do foco de buscas nesses locais. Geralmente, as mulheres vão se distrair, se envolver em casos rápidos. Para os homens, esses estabelecimentos são "campos de caça". Ressalto que isso não é regra; contudo, não seria o ambiente adequado para quem pensa em buscar um relacionamento duradouro.

Sites de relacionamentos também são uma loteria. A maioria dos homens está em busca de sexo rápido sem compromisso e aventuras extraconjugais. Enquanto o homem recebe cinco mensagens, a mulher recebe cinquenta – é muita gente para administrar. Obviamente, esse meio de se relacionar pode ser bem arriscado e perigoso e, consequentemente, trazer mais frustrações. Repito que não podemos generalizar. Conheço pessoas que se casaram graças a sites de relacionamentos. Alguns, entretanto, experimentaram muitas decepções até acertarem.

Se você frequentemente diz que não consegue enxergar nenhuma possibilidade de amor, talvez o seu radar esteja desregulado. Certa vez, ouvi numa palestra: "O que determina o peixe que fisgaremos é a isca que estamos jogando". Acredite que dias melhores virão.

Não associe perfeição a confiança. Há pessoas que, para confiar no outro, precisam enxergar a perfeição. Mesmo que a pessoa pareça perfeita, não significa que ela seja. Há que se estranhar se alguém for certinho em tudo.

Cuidado com o narcisismo. Há pessoas que são sozinhas porque são egoístas. Elas não se veem se relacionando com outra pessoa, não querem formar família, preferem ficar sozinhas e se sentem bem assim. Por isso, todos que se aproximam acabam recebendo um defeito, porque, no fundo, elas não se enxergam com outro alguém e, inconscientemente, buscam argumentos que mascarem a sua decisão. No fundo, elas têm medo de perder a sua essência.

De repente, a pessoa perfeita para você está bem ao seu lado, no caminho do trabalho, na faculdade, na sua vizinhança, fazendo comentários nas suas redes sociais, mas se o seu radar estiver desligado ou fora de sintonia, de nada adiantará. Se a minha TV é nova, porém está sem antena, eu não consigo sintonizar nenhum canal; como é uma *smart TV*, eu consigo acessar canais pela Internet, mas quando a conexão cai, novamente a TV fica sem função. O que me adianta a TV ser nova? Da mesma forma, o que adianta você ser uma pessoa para casar, ser especial, inteligente, se os traumas de amar têm cortado todas as suas conexões? Pense nisso e ligue e sintonize o seu radar!

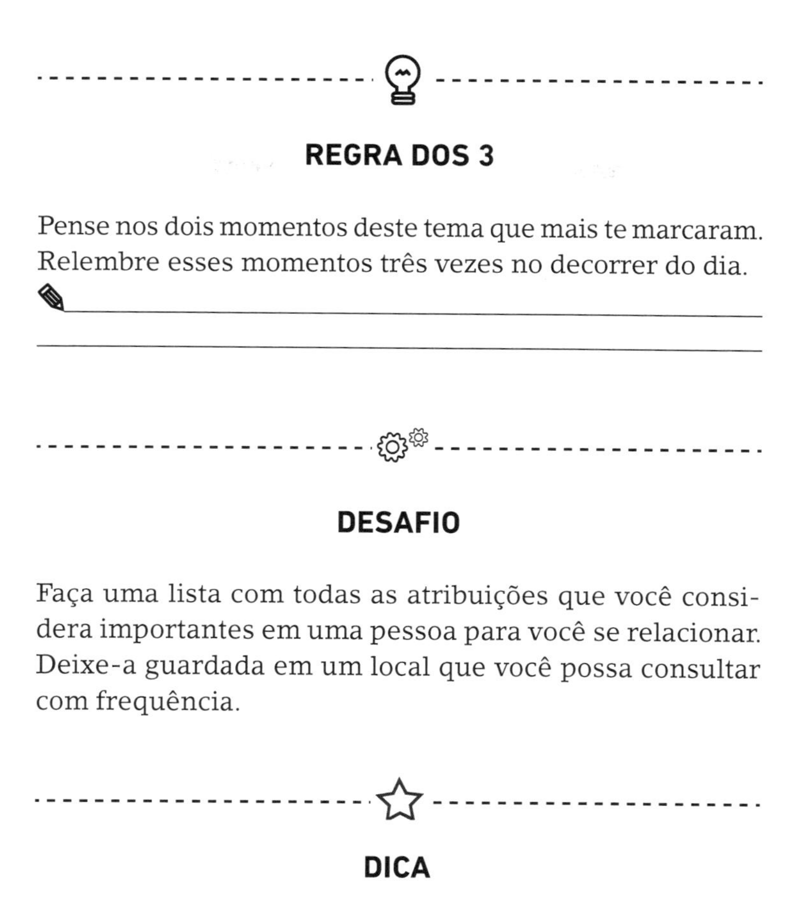

REGRA DOS 3

Pense nos dois momentos deste tema que mais te marcaram. Relembre esses momentos três vezes no decorrer do dia.

DESAFIO

Faça uma lista com todas as atribuições que você considera importantes em uma pessoa para você se relacionar. Deixe-a guardada em um local que você possa consultar com frequência.

DICA

Tente detalhar ao máximo especificando características físicas (altura, peso, idade), intelectuais, hábitos aceitáveis (fumantes, filhos, perfil aventureiro), personalidade (pessoas extrovertidas, calmas), poder aquisitivo, *hobbies* etc. Relembro que não se trata de escolher demais, é apenas uma forma de vislumbrar com mais facilidade o que você entende como parceiro adequado. Se você não definiu como deve ser o seu grande amor, também não saberá identificar quando ele estiver diante de você.

13º ENCONTRO

INVEJA

O sentimento de dissabor pelo sucesso alheio

INÍCIO DO ENCONTRO ___/___/___ TAREFAS CONCLUÍDAS ___/___/___

"Uma fada apareceu para um camponês de meia-idade e o saudou:

— Olá, hoje é o seu dia. Você foi contemplado pela senhora sorte. Terá o direito de me fazer qualquer pedido e eu o realizarei. Só tem um porém — diz a fada. — O que você pedir, seu vizinho ganhará em dobro!

Sem entender muito bem, o camponês parou um pouco, pensou e disse para a fada:

— Eu já tenho o meu pedido. Eu gostaria de ficar cego de uma das vistas!"

Esta é uma clássica fábula brilhantemente utilizada por Melanie Klein para ilustrar a inveja, palavra que vem do latim *invidia* e significa olhar mal. Por isso, quando ouvimos dizer que alguém colocou mau-olhado, é o mesmo que dizer que invejou. A inveja está ligada ao dissabor sentido por causa da conquista, da alegria ou da prosperidade alheia. Se você acha que a outra pessoa não deveria ter o que tem, isso é inveja. É uma espécie de mecanismo de defesa que protege e compensa nossas feridas, nossos traumas, nossas rejeições, nossas humilhações...

Por exemplo, ao se comparar inconscientemente com o outro, você poderá se julgar inferior e a raiva da sua inferioridade será projetada no outro, fazendo o possível para vê-lo diminuído ou envergonhado. Se isso ocorrer, o prazer que você sentirá na "destruição alheia" é o seu triunfo porque ele está pagando caro em ter estado acima de você. Ele perdeu e você ganhou. Obviamente, o invejoso não se vê como capaz de crescer e, portanto, ninguém pode se sobrepujar a ele. A inveja revela problema de baixa autoestima.

Quando alguém julga que você não é merecedor do que tem e que deveria perder tudo, é uma inveja material. E se julga que você não deveria ser quem é ou do jeito que é, é uma inveja moral.

Agora vou dizer o que não é inveja. Se você admira sobremaneira uma pessoa por seus talentos, reputação ou por qualquer outro motivo, isso é admiração e é absolutamente saudável. Querer ser igual ao outro é admiração. Eu admiro muitas pessoas que tenho como referencial e modelo; se elas conseguiram, eu também poderei e conseguirei chegar lá. Eu quero ser como elas! Isso não é inveja, e sim admiração.

Apesar de quase não ouvirmos no nosso vocabulário a palavra cobiça, ela também faz parte desse cenário devido à confusão semântica com a palavra inveja. Na cobiça, queremos o que pertence à outra pessoa. Querer o cargo do outro (mesmo que ele seja merecedor), querer o cônjuge do outro, querer propriedades do outro... Isso ainda não é inveja, apesar de ser semelhantemente nocivo. Isso é cobiça.

Com o exemplo a seguir, mostrarei as três realidades. Se alguém vai a sua cozinha e diz: "Nossa! Que armário bonito que você tem!", isso é admiração. Até aqui, tudo bem. Se, após dizer a frase, a pessoa pensar: "Esse armário ficaria lindo na minha cozinha!", isso é cobiça, afinal, o foco não é você, e sim o armário. E, por último, se, após elogiar seu armário, pensar algo como: "Deve ter ganhado, afinal não tem dinheiro nem para comer direito! Está toda metida só porque tem um armário novo! Deve ter parcelado em cinquenta vezes! Tomara que quebre!", tudo isso porque a felicidade alheia causa desgosto no invejoso. É indiferente se esse armário deveria estar na casa do invejoso (por se julgar melhor), na minha casa ou se deveria estar na casa de qualquer outro. Para o invejoso, o armário só não deveria estar na casa do invejado. Isso é inveja "braba".

Há quem defenda que a inveja é uma emoção, mas eu não pactuo com essa ideia. Penso que o sentimento é a emoção interpretada. Eu explico: apesar de usarmos emoção e sentimento como palavras sinônimas, cada uma tem seu conceito bem definido. Emoção é movimento de energia, é uma reação instintiva automática desencadeada por fatores geralmente externos que afeta a química do nosso sistema nervoso. Quando o corpo experimenta essa "energia", a mente em seguida dá uma interpretação ao que está sentindo, e é o que chamamos de sentimento. É bem verdade que toda emoção é um sentimento, mas nem todo sentimento é uma emoção; por exemplo, a raiva é uma emoção que vira sentimento porque surge instintivamente (emoção) e por um breve espaço de tempo ficaremos sentindo (sentimento). Ao contrário, a inveja é um sentimento oriundo da interpretação de outras emoções, como a raiva, e interage com um misto de sentimentos, como a baixa autoestima, o rancor, o desejo de posse, a hostilidade, a culpa, entre outros.

"NEM SEMPRE O INVEJOSO ESTÁ PREOCUPADO EM CRESCER; A PREOCUPAÇÃO DELE É QUE VOCÊ TAMBÉM NÃO CRESÇA."

O invejado, na verdade, é admirado. Se alguém inveja você, no fundo a pessoa te admira, daí o motivo de projetar tanta ira. Obviamente, quem inveja jamais admitirá isso, até porque pode ser algo inconsciente. Assim, nem sempre o invejoso está preocupado em crescer; a preocupação dele é que você também não cresça. O invejoso não quer estar acima de você, e sim que você esteja abaixo dele. Parece a mesma coisa, mas não é. É muito mais fácil puxar alguém para baixo do que ter que se projetar para cima.

O que os efeitos da inveja causam em nós? Será que vamos morrer por causa do mau-olhado? Existe mais superstição do que fatos nessa história, entretanto, se no meu íntimo eu acredito que alguém tenha me colocado mau-olhado, eu poderei vivenciar circunstâncias que confirmarão o que me propus a crer porque, no meu sistema de crença, abri essa realidade. Os efeitos poderão ser semelhantes a uma auto-hipnose.

Segundo estudos da física quântica, todos nós temos um campo energético ao nosso redor. Isso não tem nada a ver com religião nem esoterismo. É algo científico, medido com instrumentos específicos. Todas as nossas intenções geram frequência de onda. Essas intenções, por meio de sua frequência, podem alterar o campo magnético de outras pessoas. Curiosamente, o jargão que usamos "pense positivo" faz todo sentido, porque pensar positivo realmente gera vibrações positivas, e pensar negativo, vibrações negativas. Se você tem inveja de alguém, isso significa que quer o mal dessa pessoa, pois, como já disse, inveja é quando eu não quero que o outro tenha algo que tem ou que seja feliz ou que faça sucesso...

Enquanto a admiração é como intenções positivas (porque eu me alegro em você ser quem é), a cobiça e a inveja são intenções negativas e naturalmente geram frequências negativas. Vale ressaltar que esses são apenas dois tipos de frequências negativas. Há uma infinidade de pensamentos literalmente nocivos para o ser humano quando nutridos em longo prazo.

Por exemplo, se um conhecido te visitar em sua casa com uma frequência baixa, por estar com o campo energético negativo, a sua planta pode morrer. A planta é um ser vivo e tem o seu campo energético de muita pureza. O indivíduo com campo energético negativo "roubará" a energia daquela planta, que, por sua vez, secará. Já vi pessoas se referindo a outras como sanguessugas de energia, e isso também faz todo sentido para a física quântica. Por isso, parece que nos sentimos muito bem quando estamos junto de algumas pessoas, ao passo que parecemos um bagaço ao nos aproximarmos de outras. Literalmente ficamos piores. Houve um "furto de energia", e isso pode levar a uma baixa de imunidade e adoecimento.

Então, quando alguém chegar em sua casa e um copo se quebrar ou você se sentir mal, lembre-se de que pode ser um caso de frequência negativa, mas não necessariamente inveja. Pode ser uma infinidade de sentimentos, como a mágoa ou o ódio guardado. Observe que o ódio não deve ser confundido com raiva (ou ira). A raiva é emoção e é instintiva, porém ela vem e vai com o passar do evento que a disparou. O ódio é a raiva mantida em longo prazo que, paulatinamente, envenena aqueles que o sentem.

Vibramos em desacordo com o universo quando retemos emoções negativas. Aquela recomendação de não assistir a programas de televisão que incitam violência também cabe aqui. Esses programas exibem covardia, violência e outros dejetos que estimulam os nossos instintos e desejo do mal alheio. Quando vemos alguém covardemente matando, desejamos o mesmo ao covarde. Por isso evito assistir, para evitar estes sentimentos em mim. Eu quero permanecer sempre com vibrações limpas e puras para poder compartilhar coisas boas.

Para nos blindarmos contra esses males invisíveis provocados pela inveja, precisamos nos atentar a alguns detalhes. Cuidado com quem você fala dos teus projetos. Ao falar, acabará atraindo o olhar daquelas pessoas que cobiçam as tuas coisas e te invejam. Quanto menos pessoas tomarem conhecimento dos teus projetos, menores as probabilidades de atração de sanguessugas.

Essa blindagem não é de fora para dentro, e, sim, de dentro para fora. Portanto, se você cumprir todos os desafios propostos neste livro, automaticamente estará mudando o estado das vibrações, porque você pensará mais positivamente, perdoará mais, exercerá compaixão pelas pessoas (daí a importância de praticar ações sociais e caridades), elevará a sua autoestima e mais uma série de resultados que te tornarão um ser humano melhor do que você já é.

Pare de nutrir a ideia de que em todo tempo estão te invejando. Uma amiga me alertou para que eu tomasse cuidado porque muita gente tem inveja de mim. E algumas evidências confirmam suas palavras. Entretanto, sabe o que penso sobre isso? Eu quero mais é que todos aqueles que me invejam se aperfeiçoem, cresçam, sejam felizes e que tudo de mais precioso possa acontecer na vida dessas pessoas. Os que dizem que eu não deveria ter ou conseguir, desejo na vida deles condições iguais ou melhores do que as que eu estou construindo. Seja material ou pessoal. Aprendi que meu brilho não aumenta à medida que eu tento apagar o seu. Pelo contrário, quanto mais eu elevo as pessoas, mais eu sou elevado. Há espaço para todos florescerem! Felizes são os que contribuem para o crescimento dos outros. O universo tem boas recompensas para essas pessoas. Eu quero sempre ser uma das que contribui com o crescimento de todos. Sempre me emociono quando descubro que fui fonte de ascensão e inspiração para alguém.

Muitos, sem perceberem, utilizam as redes sociais para ostentar o seu relacionamento, que, em pouco tempo, se acaba; outros ostentam bens ou prosperidade e, inexplicavelmente, perdem o excelente emprego. Enfim, tenha muito cuidado com as coisas que você posta. Sem perceber, pode cair no erro de ostentar para causar inveja nos outros e acabar colhendo o fruto de suas próprias intenções, afinal, há uma infinidade de pessoas on-line que você conhece superficialmente, mas nem faz ideia de quem realmente sejam.

Vamos ao desafio!

REGRA DOS 3

Pense nos dois momentos deste tema que mais te marcaram. Relembre esses momentos três vezes no decorrer do dia.

____

____

DESAFIO

Este desafio é um dos mais difíceis. Sabe por quê? Qual a pessoa que reconhece ser invejosa? Eu não conheço. Por isso, a missão deste encontro é que você faça uma autoanálise sincera e veja se você se enquadra. O primeiro passo para lidar com a inveja é reconhecer que ela exista.

O segundo passo é descobrir a sua origem. É por alguém em especial? É pelo que ela tem? É pelo que ela é? O jeito despojado dela, o sucesso, o carisma? Possivelmente, algo que você relute para aceitar esteja projetando nela. Talvez você fique irado ao vê-la contando vantagens e se enfureça porque acha que ela não deveria fazer isso. A sua inveja pode estar projetada nesse comportamento, se estude com calma.

Em seguida, se perdoe por ter desejado o mal alheio e, principalmente, se perdoe porque essa raiva primariamente é contra si próprio, pela sensação de incapacidade de superar certos desafios.

O próximo passo é agradecer pelo que tem. O invejoso é infeliz porque não consegue se ver bem em determinado aspecto. Ele não é resolvido. A felicidade é diferente de alegria. Qualquer coisa do momento que me estimule a euforia me deixará alegre (alegria é emoção), mas a felicidade é o que eu sinto independente do momento atual (sentimento). A felicidade é bem-estar físico, mental, social e espiritual. É meu estado de confiança e contentamento pelo que tenho. A alegria está ligada a um fato ou a algo que aconteça no presente. Portanto, o invejoso pode estar alegre, mas, internamente, é infeliz. Recapitulando:

1. Reconheça a inveja.
2. Identifique a sua origem.
3. Perdoe (a si e aos alvejados).
4. Agradeça pelo que você tem.

DICA

A inveja evidencia problemas com autoestima baixa. Olhando pelo lado positivo, trata-se de um sintoma. É uma maneira de alarmar que algo está errado e que a pessoa precisa de ajuda, pois as potencialidades podem estar minadas impedindo o desenvolvimento pessoal e profissional, aprisionando a pessoa em constantes fracassos. Uma avaliação terapêutica poderá te ajudar a entender especificamente o seu caso.

Há uma linha tênue entre o ciúme e a inveja. No ciúme, eu quero manter o que tenho. Na inveja, eu não quero que você mantenha o que tem. Ciúme é zelo pelo que tenho. Inveja é frustração pelo que acredito não poder ter.

14º ENCONTRO

ANSIEDADE

As preocupações ditando as regras

INÍCIO DO ENCONTRO ____/____/____ TAREFAS CONCLUÍDAS ____/____/____

Conta-se que um saveiro estava sendo puxado por um rebocador no Rio Niágara, nos Estados Unidos, quando o cabo veio a se romper. Impetuosamente, as fortes correntezas conduziram a embarcação em direção às perigosas cataratas de cinquenta metros de queda. Há poucos metros de o barco cair, encalhou em algumas rochas enquanto a noite se aproximava. Havia dois homens a bordo, que passaram a noite inteira de terror devido ao balanço do barco, ao som das águas batendo e à escuridão noturna. Finalmente, o tormento de uma possível queda para a morte acabou porque, pela manhã, chegou o socorro. Isso ocorreu em agosto de 1918, porém o que se diz é que restos da carcaça do barco se encontram no mesmo local até os dias de hoje.

Assim acontece no nosso dia a dia. Em diversos momentos, ficamos com a sensação de que algo sairá do controle e dará errado, que não conseguiremos pagar aquela conta, que o desemprego vai nos levar para debaixo da ponte, o resultado que tanto aguardamos não sai, e essa hora que não passa... São inúmeras preocupações! Faz-me lembrar do famoso jargão de Galvão Bueno, diante de um tenso jogo da seleção brasileira: "Haja coração!". Vivemos rodeados de circunstâncias que nos deixam ansiosos em boa parte do tempo. Curiosamente, se você fizer uma retrospectiva, verá que a maioria absoluta das coisas ruins que te deixaram com ansiedade simplesmente nunca aconteceram. Gastamos energia preciosa com absolutamente nada. E, no final, tudo se resolve, tudo se acerta, e aí está você... E aqui estou eu... E a vida continua plena!

Vou te fazer uma pergunta: a ansiedade é uma vilã ou uma heroína para as nossas vidas? Se você respondeu "vilã", errou. Mas, se você respondeu heroína, também errou. A resposta correta é "depende!". A forma como você experimenta a ansiedade determinará o resultado final.

A ansiedade tem sido vista como um dos males do século, mas não é! O excesso sim é devastador. Ela tem um objetivo fantástico, que é de colocar-nos em ação. Ela faz com que o indivíduo, entrando em contato com circunstâncias de riscos potenciais, possa agir antecipando algo de ruim para este que não aconteça. As demandas da vida moderna, as decisões diárias que precisamos tomar e as cataratas de informações que lidamos diariamente têm sido bem maiores do que a nossa capacidade de assimilação. Como consequência, a ansiedade que deveria nos favorecer acaba pesando contra e nos fazendo experimentar muitos dissabores.

Ansiedade é uma palavra originada no latim *anxietas*, é um sentimento vago e desagradável que mistura medo e apreensão, fazendo-nos sentir inquietação e desconforto por meio de reações físicas e psíquicas.

Como forma de facilitar o entendimento sobre a ansiedade, eu farei uso da palavra preocupação ou pré-ocupação, porque, na ansiedade, a pessoa se ocupa previamente com algo. É uma espécie de sofrimento por antecipação. Na maioria das vezes, imagina-se que o pior está por vir. Esse pensamento sobre o futuro aumenta a angústia. A propósito, a ansiedade é um tipo de sofrimento relacionado com o mau uso do tempo, semelhantemente ao estresse e à depressão. As pessoas que têm dificuldade em lidar com as demandas do tempo futuro ficarão ansiosas; as que têm dificuldade em assimilar o tempo passado, poderão ficar deprimidas; e aquelas com dificuldade em lidar com as demandas do tempo presente ficarão estressadas. Uma simples prática de se planejar com agenda ou outro mecanismo já é o suficiente para diminuir grande parte do estresse e da ansiedade.

Cabe dizer que há diferença entre a ansiedade natural e a ansiedade patológica. Se a pessoa não tem nenhum tipo de preocupação e mesmo assim se sente ansiosa, pode ser um sinal de que careça procurar ajuda médica. Outro ponto é a frequência e a intensidade dos sintomas. Os excessos, a ponto de atrapalhar a sua rotina, também podem ser indícios de que algo tenha saído da normalidade e, portanto, deve-se procurar um especialista.

Na ansiedade, notamos alguns sintomas bem frequentes, por exemplo, a fadiga. A pessoa fica cansada mesmo que não tenha feito esforço algum, formigamentos, confusão mental, dores no peito, sensação de nó na garganta ou falta de ar, tonteiras, boca seca, tremores, dificuldade de dormir ou relaxar, tensões musculares, aceleração dos batimentos cardíacos, problemas de origem sexual e outros. Apesar da semelhança nesses sintomas, cada tipo de transtorno terá seu quadro clínico com peculiaridades específicas. A *Classificação Internacional de Doenças* (CID) e o *Manual Diagnóstico e Estatístico de Transtornos Mentais* (DSM-5) são as ferramentas confiáveis nas quais os psiquiatras se baseiam para a conclusão de suas avaliações e tratamentos.

São variados os tipos de transtornos de ordem patológica. Os mais comuns são o transtorno do pânico, os variados tipos de fobias, o transtorno obsessivo compulsivo (TOC), o estresse pós-traumático, o transtorno de ansiedade generalizada e mais uma diversidade deles. O portador de algum tipo desses transtornos não precisará se desesperar, pois, com o tratamento, poderá retornar a sua estabilidade, já que são questões solucionáveis. Muitos não procuram ajuda por vergonha. Ainda há os que pensam estar malucos. Grande bobagem! Se for o seu caso, tome coragem e procure ajuda médica. Quanto mais rápido agir, melhores serão os resultados. O psiquiatra é o médico indicado para este caso.

A ansiedade também pode surgir por razões biológicas, como a hereditariedade, o desequilíbrio hormonal, os medicamentos ou outras drogas, porque mexem com a química do organismo produzindo reações novas. Ansiedade também surge por razões psicológicas ou circunstanciais. Isso ocorre porque todo pensamento vai gerar uma emoção equivalente. Se pensarmos em uma perda familiar, produziremos tristeza, ao passo que, se pensarmos em uma grande conquista, produziremos alegria. Repare que a tristeza e a alegria originaram-se como fruto do que se pensou. Podemos dizer que as pessoas que só pensam em coisas negativas ou destrutivas estão empreendendo um "lixão" em suas mentes. Por isso, devemos selecionar muito bem as nossas amizades, pois pessoas negativas poderão contribuir para o aumento de nosso nível de ansiedade devido às preocupações constantes que nos fazem vivenciar.

Há dois caminhos comuns para o tratamento da ansiedade (e não necessariamente temos que escolher um ou outro): um deles é o medicamentoso – lembrando que, para isso, é necessário acompanhamento especializado. Muitas pessoas consomem remédios controlados por conta própria, o que é uma grande irresponsabilidade. Não vale a pena tentar resolver um problema criando possibilidade para o surgimento de outros. Muitas pessoas não se dão conta de que se entorpecem justificando-se com a dificuldade de dormir. Não se dão conta de que, enquanto estão dormindo, se desligam da dor e do sofrimento vivido quando estão acordadas. Ou seja, há possibilidades de o remédio controlado ser usado primariamente como mecanismo de fuga da realidade ou como alívio imediato da dor que sente quando está acordada. Daí o termo "geração Prozac" (antidepressivo).

O outro caminho de tratamento é a psicoterapia. Cuidado para não cair na crença popular de que quem precisa de acompanhamento é maluco. A psicoterapia é um mecanismo de ajudar pessoas a se autoconhecerem melhor. Ajuda o indivíduo na prática de atividades que trarão ressignificações psicoemocionais e o encoraja na retomada de controle de sua vida. Como consequência, experimentará transformações surpreendentes.

Apesar da sucinta explicação sobre a parte patológica, nosso foco aqui é a ansiedade natural. Aquela que, mesmo nos fazendo experimentar sintomas mais moderados, atrapalha nossa vida. É prudente que o ansioso programe em sua rotina algumas práticas que contribuirão para a prevenção ou diminuição do seu quadro de ansiedade. Primeiro, é necessário colocar os teus pensamentos em vigilância porque, como vimos, se estes forem ruins, produzirão emoções ruins. Devemos evitar alimentos ricos em cafeína por causa da sua ação bioquímica no nosso sistema nervoso (particularmente, esse é o meu principal desafio por causa da paixão que tenho pelo cafezinho). Já acompanhei casos em que a simples diminuição do consumo de alimentos contendo cafeína foi o suficiente para diminuir os sintomas de ansiedade.

O uso de técnicas de respiração profunda e pausada também é uma boa prática. O cérebro ficará mais oxigenado e quem sofre de estresse ou ansiedade costuma ter uma respiração superficial e descontrolada.

Conversar sobre o assunto com pessoas de confiança também ajuda a aliviar. Não se trata de uma conversa de aconselhamento, e sim de alguém que esteja disposto a te ouvir, sem te criticar, sem te dar lições.

Opte por assistir programas de humor ou boas comédias que te façam rir. Isso provocará reações hormonais positivas no cérebro. Evite andar com pessoas negativas. Eu sei que há situações em que isso não é possível, mas só o fato de evitá-las já diminuirá a exposição à poluição mental.

Exercícios físicos são excelentes para a circulação sanguínea e para a oxigenação das células do corpo. Meditação também é uma ferramenta poderosa e comprovadamente traz diversos benefícios, dentre os quais o aumento de atenção e de foco.

A prática de um *hobby* é outra forma de desconexão com pensamentos geradores de ansiedade. Diversas pesquisas confirmam que o contato com a natureza traz resultados fabulosos para a nossa saúde física e mental. Um estudo conduzido na Universidade de Queensland, na Austrália, constatou que apenas trinta minutos por semana de exposição à natureza já são suficientes para melhora da nossa qualidade de vida. Na Universidade de Rochester, nos Estados Unidos, foi realizado um estudo no qual conseguiram evidenciar que o contato com a natureza proporciona aumento de energia e sensação de bem-estar. Segundo Richard Ryan, professor de psicologia que conduziu o estudo, a natureza é combustível para a alma. Use e abuse desse recurso. Visite locais diferentes que tenham verde, cachoeiras, praias etc. Preferencialmente, desligue o celular para viver o momento. Muitas vezes, a ânsia de tirar belas fotos para as redes sociais é tão grande que acabamos nos esquecendo de viver o "aqui e agora" do lugar.

> **"A ÂNSIA DE TIRAR BELAS FOTOS PARA AS REDES SOCIAIS É TÃO GRANDE QUE ACABAMOS NOS ESQUECENDO DE VIVER O 'AQUI E AGORA' DO LUGAR."**

Lembro-me de uma passagem no Novo Testamento na qual Jesus orienta a não se viver ansioso por coisa alguma.

Nem pela vida, nem pela alimentação, nem pelo corpo, nem pelas roupas... Ele usa a natureza como metáfora para entendermos a tolice que há nas nossas preocupações. "Olhai para as aves do céu...", "Observe os lírios do campo..." (Mateus 6:25-34). Gosto muito de manter contato regular com a natureza e vejo o quanto me revigoro com essa prática. Minhas ideias afloram. Uma sensação de paz e contentamento me energiza. Aprendi isso na prática e, portanto, científica e pessoalmente sugiro que você "observe os lírios do campo".

Esses exemplos elencados anteriormente são algumas das principais práticas que poderão te ajudar a prevenir e/ou diminuir o nível de ansiedade. Obviamente, repito que essas ações não substituem a avaliação do profissional. Portanto, só ler não resolve o problema. Você pode usar a técnica do BO-DA-CO-RE (apresentada no 1º Encontro) para praticar as sugestões. Isso certamente já trará melhoras significativas. Agora vamos ao desafio...

REGRA DOS 3

Pense nos dois momentos deste tema que mais te marcaram. Relembre esses momentos três vezes no decorrer do dia.

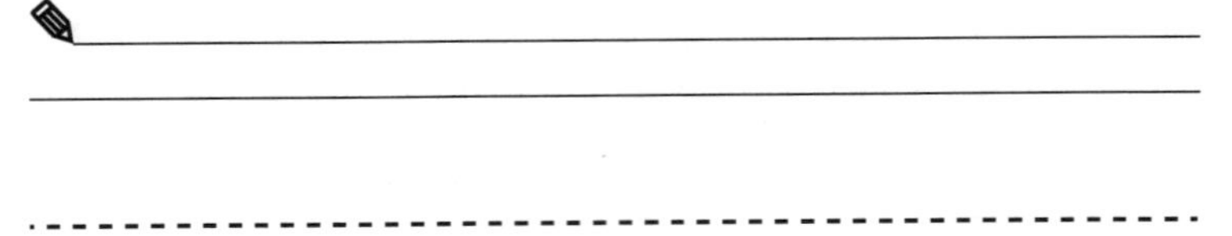

DESAFIO

Se você percebe que algum dos sintomas citados neste encontro te incomoda a ponto de atrapalhar sua rotina de alguma forma, você deve agendar atendimento médico para uma avaliação mais detalhada. O foco aqui é você entrar em ação. Agende hoje mesmo. Esse é o desafio para você!

DICA

Se você tiver um plano de saúde, o agendamento poderá ser direto com o psiquiatra. Se você fizer uma marcação pelo SUS, o generalista (clínico geral) dará o atendimento inicial e encaminhará para o psiquiatra. Não use a demora de atendimento como desculpa para o desânimo. Quanto mais adiar seu agendamento, maior a demora em ser atendido. Outra opção são as clínicas populares que existem em diversas cidades com atendimento de especialistas a preços mais acessíveis.

Você poderá também optar inicialmente por uma consulta psicológica, na qual o profissional psicólogo te orientará melhor de acordo com as especificidades dos sintomas. Conforme o caso, ele mesmo te dará um encaminhamento ao psiquiatra ou simplesmente o acompanhará pelo período necessário para que você se estabilize emocionalmente.

15º
ENCONTRO

DEPRESSÃO

A alma devastada em prantos

INÍCIO DO ENCONTRO ____/____/____ TAREFAS CONCLUÍDAS ____/____/____

Conhece alguém que tenha depressão? E você, já passou por algum período sombrio no qual julgou estar deprimido? Este encontro irá te esclarecer o assunto para que você possa usufruir ou ajudar alguém com essas valiosas informações.

Primeiramente, depressão é o nome moderno para uma psicopatologia existente desde os tempos mais remotos, que era conhecida como melancolia. Escritos antigos apresentam diversos casos. Relatos bíblicos mostram sintomas de depressão vivenciados, por exemplo, pelo rei Saul e pelo profeta Jeremias. Personalidades famosas da história, como Beethoven, Abraham Lincoln, Santos Dumont e tantos outros, também foram acometidas pela depressão. Antigamente, loucura e depressão (melancolia) estavam relacionadas a superstições e mitos, até que, em 1952, com o surgimento da primeira versão do *Manual Diagnóstico e Estatístico de Transtornos Mentais* (DSM), as perturbações mentais passaram a ser reconhecidas como doença.

Em 1917, Freud fez uma abordagem sobre o luto e a melancolia, na qual observou que a melancolia (depressão) também surge a partir dos conflitos nas instâncias psíquicas (ego, id e superego). Apesar de o foco aqui não ser de teorizar a leitura, é como se disséssemos que nossos conflitos internos e não resolvidos têm o potencial de viabilizar o surgimento e/ou permanência, bem como progressão da depressão. E que esses conflitos podem trazer sintomas fisiológicos. Obviamente, há outros fatores orgânicos envolvidos nesse processo. Falaremos sobre isso mais à frente.

> **"PESSOAS QUE FICAM TRISTES POR MOTIVOS BANAIS PODERÃO SE VICIAR EM TRISTEZA OU TALVEZ JÁ ESTEJAM."**

Até aqui, a primeira conclusão a que chegamos é que depressão é uma doença, porque há comprometimento das funções químicas do sistema nervoso. Essa disfunção química traz respostas tanto no psicológico, modificando comportamentos, quanto no fisiológico ao portador. A confusão se inicia por causa de um dos principais sintomas desse quadro, que é a tristeza. Muitos correm o risco de aceitar que estejam deprimidos por se sentirem tristes. Por sua vez, outros realmente estão com depressão, mas não julgam estar. Outro fator crítico é a falta de conhecimento daqueles que estão ao nosso redor, alegando ser frescura, falta de uma ocupação ou outras depreciações.

Para alguém supor que esteja com depressão, não poderá basear-se exclusivamente na manifestação da tristeza. Muitas pessoas ficam tristes com facilidade, mas preciso alertar que não necessariamente seja indício de depressão. É apenas o eu fragilizado. Pessoas que ficam tristes por motivos banais poderão se viciar em tristeza ou talvez já estejam. Os viciados em tristeza, apesar de sempre conseguirem desenrolar um motivo para se entristecerem, também não são deprimidos. Depressão não é frescura, nem exclusivamente tristeza.

Outro item importante é sobre o diagnóstico. Quem diagnosticou você ou a pessoa que você esteja pensando estar com a doença? Essa pergunta que fiz é por causa de outro erro comum, que é o de muita gente sem nenhum respaldo diagnosticando a doença nos outros. Do ponto de vista médico, quem tem competência para esse tipo de diagnóstico é o psiquiatra. Na prática, os médicos não psiquiatras e psicólogos, por mais que sejam conhecedores do assunto e tenham suas hipóteses, não costumam diagnosticar o paciente. Se, por exemplo, você for a um atendimento médico e ele suspeitar que seja depressão, certamente te encaminhará ao psiquiatra para consolidação do seu parecer. Se o psicólogo e o médico não psiquiatra têm todo o cuidado em dizer que alguém esteja ou não com depressão, por que é que um sacerdote, um *coach*, um vizinho ou um professor dirá que você está com depressão? Eu sei o porquê.

Olhamos para essas pessoas como líderes e referenciais de sabedoria e conhecimento, que sabem do que estão falando. Principalmente pela eloquência ou por aparentemente terem todas as respostas. E como temos a necessidade de confiar em algo, simplesmente acreditamos como verdade absoluta.

O nosso erro é generalizar o conhecimento. Por exemplo, posso ser *expert* em conhecimentos gerais, mas isso não me habilita a falar por um psiquiatra. É comum o caso de pessoas que se convencem de que estão doentes sem consultar um médico e passam a acreditar que estejam com uma doença que muitas vezes nem existe. E isso vale para outras áreas também: o médico não tem embasamento para falar de elementos jurídicos porque isso cabe ao especialista em direito – a não ser, é claro, que o médico também tenha essa formação, como o caso de um amigo meu que é formado em direito e medicina (além de ter mais de vinte pós-graduações!).

Na era da internet, as pessoas se debruçam nas pesquisas para saber se estão com depressão. Após navegarem em meia dúzia de sites, se convencem de que estão com depressão e até passam a sentir mais sintomas do que antes. Não deixe a internet determinar sua doença. Por mais que ela te dê esclarecimentos, nada substitui a avaliação do especialista. O diagnóstico não pode ser dado por você mesmo ou por alguém que tenha passado por caso parecido. O "ser parecido" não é "ser o mesmo".

O psiquiatra não chuta a doença de nenhum paciente. Naturalmente, ele conta com toda a sua vivência clínica de casos semelhantes, entretanto, seu parâmetro é fundamentado em estudos de centenas de anos elencados em ferramentas de credibilidade mundial. Uma dessas ferramentas é a Classificação Internacional de Doenças (CID). Esse guia auxilia o médico na consolidação da sua hipótese. Com isso, verificará melhor a necessidade em solicitar outros métodos de exames.

Como forma de te ajudar a entender a hora certa de buscar suporte especializado, apresentarei uma lista com nove itens confiáveis que indicam uma possível depressão. Caso você se identifique com pelo menos cinco sintomas e eles perdurem por, no mínimo, duas semanas, procure ajuda especializada. Vejamos:

Primeiro: humor deprimido. Essa é a dita tristeza. Talvez o sintoma mais notório e conhecido da depressão.

Segundo: perda de interesses. Acentuada diminuição no prazer ou interesse em todas ou quase todas as atividades. O deprimido perde o interesse em trabalhar, estudar, estar com as pessoas. Ele perde o interesse pela vida.

Terceiro: insônia ou hipersônia. São distúrbios do sono em que a pessoa quase não dorme ou dorme demais. É muito comum que fique na cama com o ambiente todo escuro.

Quarto: perda ou ganho significativo de peso, mesmo

que não esteja fazendo dieta. O sintoma deve estar associado a outros, conforme veremos adiante.

Quinto: fadiga e perda de energia. Esse sintoma ocorre mesmo que não haja esforço físico ou mental que o justifique.

Sexto: agitação ou retardo psicomotor. Muitos confundem com sintomas do transtorno bipolar por causa da mudança entre eventos de euforia ou irritabilidade, em que a pessoa não consegue aquietar a sua mente ou sente como se estivesse com o pensamento disfórico, longe e com olhar perdido.

Sétimo: sentimento de inutilidade ou culpa excessiva. Esse sintoma pode ser delirante. Geralmente, aqui, o deprimido é visto como quem queira se vitimizar. Com isso, acaba desenvolvendo certa irritação naqueles que estão próximos por não conseguirem entender o que ocorre (daí as acusações de frescura, palhaçada, besteira e outras palavras mais).

Oitavo: capacidade diminuída de concentração, organização das ideias ou tomada de decisões. Esse é outro ponto que gera interpretações equivocadas porque poucos são os que imaginam que esses sintomas estejam ligados à depressão.

Nono: pensamentos recorrentes de morte. O deprimido pode planejar ideias para tirar sua própria vida. Há muitas pessoas sofrendo em silêncio.

Muitos julgam que não podem mostrar fragilidade, como o caso de líderes religiosos, militares e executivos de grandes empresas, e nem se preocupam em buscar um apoio ou mecanismo de escape (muitas vezes não sabem como buscar); por conta disso, não conseguem lidar com tamanha demanda e surtam.

Lembro-me de uma reportagem sobre uma moça que se suicidou atirando-se do vão central da ponte Rio-Niterói (RJ). Seus familiares, em entrevista, diziam não saber de sua depressão, apesar de diversas pistas que certamente foram dadas, mas seus parentes não dispunham do conhecimento dos sintomas. É isso que você está adquirindo ao ler os itens citados anteriormente. Certamente, será muito útil para você ou para que ajude alguém.

Esses nove sintomas são elencados pelo DSM-V, manual americano, confiável pela comunidade psiquiátrica mundial. Segundo sua indicação, entre os nove sintomas, se o indivíduo vivenciar no mínimo cinco itens que se manifestem na maior parte do dia e em quase todos os dias pelo período mínimo de duas semanas, significa que há fortes possibilidades de estar com depressão e deverá urgentemente procurar ajuda médica. Repito, essas informações servem como base para a procura do especialista, mas não determinam por si só se o sujeito está com depressão.

Para ajudar você nessa jornada, proponho algumas sugestões que certamente trarão respostas positivas caso você realmente esteja com depressão ou visa prevenir. Primeiro, é necessário obter o diagnóstico correto, conforme abordamos.

Fique perto de pessoas que te amam e que te apoiam de verdade, e não dos que ficam te acusando com palavras ofensivas, como maluco e preguiçoso. Esteja com pessoas positivas e motivadoras. Isso é muito importante na jornada de superação.

Manter-se ocupado é muito importante para se evitar maquinações ruins. Deve-se optar em fazer coisas divertidas e prazerosas (apesar de que, nesse período, é mais difícil). Experimente fazer uma obra social porque isso ajuda a focar nos outros e causa um efeito benéfico para a alma.

Há uma diferença entre ser e estar. Pense na alteração de humor como um estado. Você não é triste, não é desapaixonado da vida e muito menos a escória da humanidade, por mais que esteja se sentindo assim. Você pode sentir isso, mas isso não pode te definir, ou seja, não é você! É apenas uma emoção que está circulando no seu organismo por meio da bioquímica e você está interpretando tudo isso. Veja esse momento como algo passageiro e circunstancial. Pensar assim te ajudará a não elevar o peso emocional.

Evite falar certas palavras. A palavra imprime imagem na mente. Se eu digo "minha vida chegou ao fim!", essa frase é rica de emoções. Posso imaginar, nessa frase, o fundo do poço, o sepultamento, a invalidez, a desgraça e, no entanto, não foi nada disso. Apenas interpretações que dei ao que acabei de ouvir.

Outro ponto fundamental é respeitar a regularidade do medicamento prescrito. Muitos abandonam o tratamento ou interrompem por conta própria os remédios. Outros mudam a dosagem ou tomam medicamentos não prescritos. Repito o que disse no encontro sobre ansiedade: a automedicação de remédios controlados traz riscos irreversíveis. Jamais faça isso! A psicoterapia também é fundamental nessa jornada, pois bem sabemos o quanto a depressão impacta negativamente o nosso psicológico.

Quando você põe em prática os desafios e sugestões de um encontro deste livro, automaticamente se beneficia na prevenção ou tratamento dos aspectos emocionais de outros encontros. Por exemplo, eliminar consumo de drogas, praticar exercícios, praticar *hobbies*, manter uma alimentação adequada, respeitar noites e períodos de descanso e ter contato com a natureza também são sugestões poderosas na prevenção e no tratamento de depressão.

Obviamente, eu não tenho autonomia técnica para diagnosticar depressão e, na minha jornada, já encaminhei pacientes para o psiquiatra e já recebi pacientes encaminhados para acompanhamento terapêutico. A maior lição que aprendo é que o trabalho multidisciplinar enriquece a evolução do equilíbrio clínico do paciente para que tão logo este volte a sua vida habitual e esteja plenamente estabilizado.

REGRA DOS 3

Pense nos dois momentos deste tema que mais te marcaram. Relembre esses momentos três vezes no decorrer do dia.

____

____

DESAFIO

Missão 1: caso você tenha dúvida se deve procurar um especialista, seu desafio será basicamente reler com atenção os nove sintomas da depressão e, em seguida, responder o questionário abaixo:

Me identifiquei, pelo menos, com cinco sintomas?
( ) Sim ( ) Não

Os sintomas perduram pelo período mínimo de duas semanas?
( ) Sim ( ) Não

Os sintomas são presentes na maior parte dos dias?
( ) Sim ( ) Não

Os sintomas estão em quase todos os dias do período mínimo de duas semanas?
( ) Sim ( ) Não

Um dos dois primeiros sintomas listados (ou ambos) está presente entre os cinco sintomas com os quais você se identificou?
( ) Sim ( ) Não

Missão 2: se a resposta foi sim para todas as questões acima, agende o quanto antes a sua consulta.

DICA

Aqui, vale a mesma dica feita para o capítulo sobre ansiedade: se você tiver um plano de saúde, o agendamento poderá ser direto com o psiquiatra. Se você fizer uma marcação pelo SUS, o generalista (clínico geral) dará o atendimento inicial e encaminhará para o psiquiatra. Não use a demora de atendimento como desculpa para o desânimo. Quanto mais adiar seu agendamento, maior a demora em ser atendido. Outra opção são as clínicas populares que existem em diversas cidades com atendimento de especialistas a preços mais acessíveis.

Você poderá também optar inicialmente por uma consulta psicológica, na qual o profissional psicólogo te orientará melhor de acordo com as especificidades dos sintomas. Conforme o caso, ele mesmo te dará um encaminhamento ao psiquiatra ou simplesmente o acompanhará pelo período necessário para que você se estabilize emocionalmente.

16º ENCONTRO

PLANTAR E COLHER

O futuro começa agora

INÍCIO DO ENCONTRO ____/____/____ TAREFAS CONCLUÍDAS ____/____/____

Este é nosso último encontro. Seu tema é bem pertinente a tudo que acabamos de ler, ou melhor, a todas as sementes que acabamos de lançar e que tenho a plena certeza de que produzirão excelentes frutos. Plantar e colher são ciclos da natureza. Chamou-me muito a atenção uma postagem que recebi. Simples, porém marcante, que dizia "entre o plantar e o colher existe o regar e o esperar". Olha que interessante! Acredito que isso tenha ficado na minha mente pelo fato de ver a nossa geração mergulhada no imediatismo. As pessoas vivendo no mundo do "já". O que fazemos agora, queremos receber o retorno ou recompensa imediatamente, e não é bem assim.

O querer tudo na hora é uma característica infantil que perdura conosco para a vida toda. Cabe a nós identificarmos e entendermos se aquilo que ouvíamos muito na infância – "você quer tudo na hora" – ainda vale até os dias de hoje.

Na filosofia, se fala sobre plantar e colher a semente do saber; na religião, também se fala sobre o plantar e o colher. A grande verdade é que, seja na filosofia, na religião ou na nossa vida real, há uma coisa em comum: o plantar e o colher! E, entre essas duas fases, obrigatoriamente haverá o regar e o esperar. Se entendermos esse conceito, muitas coisas na nossa vida melhorarão. Para esclarecer isso, mencionarei quatro verdades fundamentais para aqueles que pretendem conquistar muitas vitórias na vida.

Primeira verdade

Semente só nasce se for plantada. Ela só germinará se for lançada no terreno. Sabe o que tem acontecido? Muita gente está guardando a semente no bolso, outros estão guardando a semente na gaveta ou no armário. Dessa forma, ela não se germinará e, consequentemente, nunca haverá resultado!

Trazendo para a vida real, muita gente tem sonhos (ou teve, lá no passado) e os guardou na gaveta. Será que os teus estão lá? Se você estiver com o seu sonho engavetado, certamente ele nunca acontecerá, porque será como as sementes guardadas.

Talvez você sonhe em fazer um curso ou uma faculdade ou até tenha abandonado os estudos no meio do caminho e isso ficou esquecido no passado; pode ter pensado em melhorar a sua casa com novos móveis ou em reformá-la ou, ainda, fazer um novo investimento, melhorar o seu carro, melhorar a sua vida de alguma forma. Você não vai conseguir nada disso se as sementes permanecerem no seu bolso. Tire-as do bolso agora mesmo! A semente guardada pode apodrecer, mas os sonhos não. Eles se revitalizarão na medida em que você voltar a reativá-los.

Segunda verdade

Só colhemos o que plantamos. Tem muita gente plantando bananinha nanica ou manga carlotinha e querendo colher frutas nobres. Isso não existe: você só colherá o que plantar. Seja na natureza ou na vida, é assim que acontece.

Por exemplo, se você deseja uma melhor oportunidade de emprego ou uma promoção, não adianta simplesmente reclamar ou achar que o universo conspira contra você. É uma questão de princípios e, se você entender isso, as coisas começarão a te favorecer. Será que você está adequado e adaptado às competências necessárias para conquistar essa oportunidade? É cômico alguém querer ganhar mais do que os outros entregando exatamente os mesmos resultados? Você não vai conseguir algo diferente sendo igual aos demais, que anseiam a glória sem a transporem dos obstáculos. Para conseguirmos novos resultados, precisamos de novas atitudes. Da mesma forma que você quer trabalhar na melhor empresa, essa tal "melhor empresa" também quer os melhores colaboradores. Por isso ela é a melhor empresa: pela qualidade profissional dos que lá estão. Dura verdade, eu sei, mas a minha intenção é que você acorde e perceba o tipo de semente que está semeando.

Terceira verdade

Leva tempo para colher, não adianta tentar mudar a ordem. Tem que esperar. Fico muito triste ouvindo pessoas dizerem "Poxa, Bronísio, sou uma pessoa tão boa e só recebo coisas ruins, só me dou mal". As pessoas estão fazendo uma confusão. O bem que faço hoje é plantação e o mal que recebo hoje é colheita. Não associe os dois. O mal que você recebe hoje pode estar ligado ao que você plantou lá atrás e não tem nada a ver com o bem que você está fazendo no agora, que frutificará lá na frente. O que você é hoje condiz exatamente com aquilo que você plantou ontem. A parte boa disso tudo é que seu futuro ainda não foi mexido. Você pode mudar a colheita amanhã se você mudar a semente hoje. Cuidado com as sementes que você tem jogado na terra porque elas germinarão você querendo ou não. E o que você vai colher amanhã? Pense nisso e mude a sua forma de agir agora mesmo!

Não confunda plantar e colher com trocar verdura, por exemplo, eu te dou um repolho e você me dá uma couve.

Isso é troca e, na lei do plantio, não é assim que funciona. Se você está fazendo alguma coisa boa para alguém e esse alguém não está retribuindo, não fique triste, você não precisa esperar o retorno dele, o próprio universo, por intermédio dessa pessoa, pode estar te devolvendo frutos resultantes de uma má plantação feita por você lá no passado, pois, geralmente, essas devolutivas acontecem por pessoas que estão perto de você. Então não fique com raiva dela. Apenas plante coisas boas!

Tem gente que pensa assim: "Eu só vou falar com tal pessoa se ela falar comigo". Você está na ordem errada. Está querendo colher o que ainda não plantou. Primeiro, você planta falando. É muito fácil você olhar para a pessoa e pensar o quão querida, inteligente e carismática ela é, mas não sabe a história dela, não sabe das vergonhas e das noites em claro que ela já passou, quais lugares em que ela já esteve. Em suma, não viu suas dificuldades enquanto plantava, regava e aguardava os frutos.

Ouvi uma frase que dizia que, quando você constrói uma coisa, automaticamente você destrói outras, ou seja, para você construir um lindo ambiente residencial, terá que destruir a linda vegetação daquele lugar. O mesmo acontece na vida. Para você construir um emprego melhor, você precisará sacrificar por um tempo o seu descanso, acordar mais cedo. E se você quiser fazer uma atividade física, precisará abnegar parte do seu sono. Essa é a lei da vida e ninguém foge à regra; você não será a exceção. Eu também não. Pense nisso, pois o que você pretende colher levará um tempo.

Quarta verdade

Plante para você, mas também plante para o mundo. Tem uma história de uma senhora que passava pelo mesmo local todos os dias. Pegava sempre o mesmo ônibus e jogava sementes pelo caminho. Um rapaz, ao ver aquilo, perguntou: "Por que a senhora joga essas sementes?". Ela respondeu: "Para que o lugar fique mais bonito e para que, quando as pessoas passarem, se distraiam, melhorando o espírito da viagem". "Senhora, dessas sementes lançadas, a maioria cai no asfalto, sem contar as que os passarinhos pegam". Com muita ternura, ela respondeu: "Tem a parte que também cai no solo". Ele então disse: "Mas a senhora tem que ter água pra regar". E ela retrucou: "Não precisa, meu filho. A natureza se encarrega de fazer isso por meio do orvalho e da chuva". Curiosamente, depois de alguns meses, quando o jovem rapaz pegou aquele ônibus novamente, viu que o trajeto estava todo florido e muito agradável. Ficou impactado com aquilo e perguntou ao cobrador do ônibus sobre a senhora. O cobrador o informou que já havia um mês que aquela senhora havia falecido. Assentando-se, pensou: "De que adiantou tanto esforço? O lugar está lindo, mas ela não pode usufruir". Ele terminou de pensar isso e ouviu risos no banco de atrás de crianças brincando e falando com a mãe sobre aquelas flores, os pássaros, o verde... Automaticamente, ele se lembrou dela dizendo "O que eu estou plantando hoje não é só para mim, é para todos que passam por aqui". No dia seguinte, ele trouxe o seu saquinho de sementes e começou também a semear.

"ASSIM SÃO OS EMPREENDEDORES. CRIAM FORMAS DE AJUDAR PESSOAS E SÃO BEM REMUNERADOS POR ISSO."

Não plante somente para você. Plante também para os outros, porque isso retornará de alguma forma para você. Se alguém te fez algum mal, não o retorne, porque, independente do que aconteceu, você faz o bem não somente pela pessoa, mas também por você. Não se esqueça, o que você plantar também irá colher. Descubra a sua missão. Ajude pessoas. Reparei que a maioria das pessoas mais prósperas que existem resolve algum tipo de problema da sociedade. Assim são os empreendedores. Criam formas de ajudar pessoas e são bem remunerados por isso. Seja um empreendedor de sonhos, dos seus projetos e da sua vida! O retorno virá em forma de gratidão. Essa expressão de gratidão poderá ter nomes diferentes, como realização pessoal, dinheiro ou fama, mas ajude pessoas!

Para semear você precisa ser estratégico: não adianta ter semente boa e colocar em terra ruim. Onde você tem jogado as suas sementes? Você pode estar perdendo seu tempo ao lançar sementes em terreno estéreo. Isso poderá te trazer prejuízos enormes futuramente e grande desgaste emocional e físico. Há coisas que você faz e as pessoas te alertam, informando que você está colocando a semente no lugar errado. Sabe o que acontece hoje em dia? Tem muitas pessoas endividadas que colocam a culpa no sistema, culpam a família, a crise, mas, na verdade, só estão colhendo o fruto do consumismo irracional que fizeram no passado. Então, seja estratégico e não desperdice sementes. Não jogue a semente em lugar que não vá te trazer um benefício futuro. Se você hoje não estiver fazendo nada, não está jogando as sementes em lugar nenhum, está apenas guardando-as no bolso. Não pense que o seu amanhã será maravilhoso dessa forma, porque você colherá exatamente o que está plantando hoje. Se você plantar nada, colherá nada! Que tal iniciar um processo de mudança agora mesmo? Eu vou te ajudar! Vamos ao último desafio.

REGRA DOS 3

Pense nos dois momentos deste tema que mais te marcaram. Relembre esses momentos três vezes no decorrer do dia.

DESAFIO

Pegue uma folha em branco e faça duas colunas. Em uma coluna, você escreverá os sonhos (resultados) que você pretende alcançar, atribuindo a eles uma data. Na segunda coluna, você escreverá as sementes que você precisará lançar e regar (atitudes) imediatamente. Este livro que está em suas mãos é um sonho alcançado. Vou te dar um exemplo pessoal de como você deve fazer na sua folha:

1. O que eu quero alcançar	2. O que eu vou fazer
a. Escrever meu primeiro livro até 31/12.	Separar 1 hora por dia de segunda a sexta-feira. Em sete meses (até 31/12), terei escrito 140 páginas.
b. Produzir o livro até...	b. ...
c. ...	c. ...

CONCLUSÃO

... Ao segurar o seu cachorrinho no colo, pôde-se ouvir a minha vizinha em alta voz, porém aliviada, dizendo: "Você quer me matar de susto, é?". E, em seguida, o silêncio novamente imperou.

O meu profundo desejo é que tudo que você leu neste livro e praticou (e o que ainda praticará) possa te trazer a experiência de alívio e serenidade semelhantemente à minha vizinha quando encontrou seu cachorrinho dado como perdido dentro da própria casa. Que você se encontre em cada cômodo do seu interior.

O 16° Encontro, de encerramento, foi propositalmente pensado para te conduzir a entender cada experiência dessa nossa jornada como se fossem sementes. Permita que suas descobertas possam criar raízes profundas no seu íntimo, para que no tempo oportuno você venha a colher os bons frutos. Haja vista que algumas sementes poderão trazer resultados imediatos, enquanto outras, mais tardios. Entretanto, autorize-se! Aceite a sua reinvenção! Aceite seu aperfeiçoamento!

Eu gostaria muito de saber das suas experiências e descobertas com a leitura desta obra, que foi preparada com todo carinho e respeito às emoções de cada leitor. Pois, como disse Carl Jung, criador da psicologia analítica, "Conheça todas as teorias, domine todas as técnicas, mas ao tocar uma alma humana, seja apenas outra alma humana".

Entre em contato comigo para me contar. Será um prazer!
www.3saberes.com/contatos

BIBLIOGRAFIA

BAKER, Mark W. **Jesus, o maior psicólogo que já existiu.** Tradução de Claudia Gerpe Duarte. Rio de Janeiro: Sextante, 2005.

BRAIER, Eduardo Alberto. **Psicoterapia breve de orientação psicanalítica.** Tradução de Peplan. 4. ed. São Paulo: Martins Fontes, 2008.

CARVALHO, Luciane Bizari Coin de; CARVALHO, João Eduardo Coin de. **Raiva.** São Paulo: Duetto, 2010.

CIALDINI, Robert B. **As armas da persuasão:** como influenciar e não se deixar influenciar. Tradução de Ivo Korytowski. Rio de Janeiro: Sextante, 2012.

DUHIGG, Charles. **O poder do hábito:** por que fazemos o que fazemos na vida e nos negócios. Tradução de Rafael Mantovani. Rio de Janeiro: Objetiva, 2012.

DYER, Wayne W. **Seus pontos fracos:** livre-se das emoções inúteis e assuma o comando da sua vida. Tradução de Mary Deiró Cardoso. Rio de Janeiro: Viva Livros, 2011.

EDITORIAL, Criativo Mercado (Org.). **Quero saber:** os grandes mestres da psicologia. Tradução de Edson Dognaldo Gil. São Paulo: Escala, 2009.

EKER, T. Harv. **Os segredos da mente milionária:** aprenda a enriquecer mudando seus conceitos sobre o dinheiro e adotando os hábitos das pessoas bem-sucedidas. Tradução de Pedro Jorgensen Junior. Rio de Janeiro: Sextante, 2006.

EKMAN, Paul. **A linguagem das emoções:** revolucione sua comunicação e seus relacionamentos reconhecendo todas as expressões das pessoas ao redor. Tradução de Carlos Szlak. São Paulo: Lua de Papel, 2011.

FORGHIERI, Yolanda Cintrão. **Aconselhamento terapêutico:** origens, fundamentos e prática. São Paulo: Thomson Learning, 2007.

LEMAN, Kevin. **O que as lembranças de infância revelam sobre você:** e o que você pode fazer com relação a isso. Tradução de Emirson Justino. São Paulo: Mundo Cristão, 2011.

LINDEN, David. **A origem do prazer:** como o cérebro transforma nossos vícios (e virtudes) em experiências prazerosas. Tradução de Cristina Yamagami. Rio de Janeiro: Elsevier, 2011.

LOUZÃ NETO, Mario Rodrigues et al. **Transtornos da personalidade.** Porto Alegre: Artmed, 2011.

MLODINOW, Leonard. **Subliminar:** como o inconsciente influencia nossas vidas. Tradução de Claudio Carina. Rio de Janeiro: Zahar, 2013.

MURPH, Joseph. **O poder do subconsciente.** Tradução de Ruy Jungmann. 5. ed. Rio de Janeiro: Viva Livros, 2016.

NASCIMENTO, Antônio Walter A. **A gerência de si mesmo.** 2. ed. São Paulo: Summus, 1995.

O'CONNOR, Joseph; SEYMOUR, John. **Introdução à programação neurolinguística:** como entender e influenciar as pessoas. Tradução de Heloísa Martins-Costa. 4. ed. São Paulo: Summus, 1995.

ROSNER, Stanley; HERMES, Patricia. **O ciclo da autossabotagem:** por que repetimos atitudes que destroem nossos relacionamentos e nos fazem sofrer. 5. ed. Rio de Janeiro: Best Seller, 2009.

SCHWARTZ, David J. **A mágica de pensar grande:** a força realizadora do pensamento construtivo. Tradução de Dr. Miécio Araújo Jorge Honkis. 6. ed. Rio de Janeiro: Viva Livros, 2018.

SINGH, Kalu. **Culpa.** Tradução de Carlos Mendes Rosa. São Paulo: Ediouro, 2005.

STAMATEAS, Bernardo. **Autossabotagem:** reconheça e mude as atitudes que você toma conta si mesmo. 3. ed. São Paulo: Academia de Inteligência, 2009.

WARD, Ivan. **Fobia.** Tradução de Tuca Magalhães. Rio de Janeiro: Ediouro, 2005. (Conceitos da Psicanálise, v. 2).

ZIMERMAN, David E. **Os quatro vínculos:** amor, ódio, conhecimento, reconhecimento na psicanálise e em nossas vidas. Porto Alegre: Artmed, 2010.

http://revistaepoca.globo.com/ideias/noticia/2013/03/voce-nao-comanda-sua-vida.html

https://oglobo.globo.com/sociedade/saude/solidao-aumenta-em-14-as-chances-de-idosos-morrerem-de-forma-prematura-11609030

AGRADECIMENTOS

Este foi o meu primeiro projeto literário. Um sonho antigo de escrever que se manteve no fundo da gaveta durante muitos anos por acreditar que outras prioridades deveriam ser atendidas primeiro.

O "desengavetamento" começou por meio de um projeto que teve a duração de um ano, o qual chamei de "Auditório ao ar livre". Eram palestras curtas sobre saúde emocional apresentadas ao vivo no Facebook todos os domingos.

Portanto, agradeço imensamente à chuva de participantes que acompanhavam essas *lives* e davam seus depoimentos de como as palestras estavam causando efeitos transformadores em suas vidas. Sem perceberem, incendiaram meu coração de desejo da retomada deste projeto.

Agradeço também à professora Flávia Pascoal, por ter sido minha consultora pré-editorial, acompanhando todas as etapas de compilação do conteúdo.

Agradeço às minhas nobríssimas Pillar Valente e Marília Braga, por terem sido minhas conselheiras no desenvolvimento da obra.

Agradeço a todos os meus atuais e ex-alunos desde os das pós-graduações aos participantes dos cursos profissionalizantes que leciono, por sempre me incentivarem.

Agradeço aos colaboradores envolvidos com o Instituto 3Saberes Formação Profissional, pelo suporte técnico e institucional.

Agradeço a todos que direta e indiretamente me apoiaram.

Agradeço à adorável rainha, Janaína Bronísio, minha mãe. A maior apoiadora dos meus projetos e parceira em tudo.

O agradecimento mais do que especial é para o Deus, todo-poderoso, que me enriquece com o dom do ensino.

SOBRE O AUTOR

Rafael Bronísio é psicanalista. Formado em Teologia e em Pedagogia com especialização em Pedagogia Empresarial, Qualidade, Segurança, Meio Ambiente e Saúde Ocupacional (QSMS), seu mestrado tem ênfase em comunicação não verbal. Em 2017, foi intitulado pelo Miesperanza University como doutor *honoris causa* por disseminar a importância da psicanálise nos ambientes organizacionais.

Clinicou em Macaé (RJ) até o ano de 2014 e se ocupa das atividades voltadas à segurança e saúde do trabalhador por mais de 15 anos. Atualmente, é CEO do Instituto 3Saberes Formação Profissional, é docente de pós-graduação nas áreas das ciências humanas, instrutor de treinamentos empresariais e destacado palestrante de congressos e eventos corporativos por todo o Brasil.

Trabalhos do autor

As 5 áreas de atuação profissional do autor:

1. Saúde emocional
2. Comunicação (verbal e não verbal)
3. Liderança e empreendedorismo
4. Motivação
5. Tecnologia e saúde do trabalhador

Principais seminários do autor

Comunicação não verbal (linguagem corporal)
Aprenda a conquistar pessoas – Técnicas de carisma
Influenciando pessoas agora!
Gestão inteligente do tempo
Oratória de impacto para quem quer sair da mesmice
Formação de instrutores

Principais workshops do autor

Gestão estratégica de consultórios
A química do amor com bases científicas
Recolocação profissional
Aconselhamento e gestão emocional

Apresentação de diversas palestras temáticas

Entre em contato com Rafael Bronísio:
www.3saberes.com/contatos

Siga a fanpage do Facebook:
Rafael Bronisio

Inscreva-se no canal do YouTube:
Rafael Bronísio